Nicolás M

Por United Library

https://campsite.bio/unitedlibrary

Índice

2

Descargo de responsabilidad

Este libro biográfico es una obra de no ficción basada en la vida pública de una persona famosa. El autor ha utilizado información de dominio público para crear esta obra. Aunque el autor ha investigado a fondo el tema y ha intentado describirlo con precisión, no pretende ser un estudio exhaustivo del mismo. Las opiniones expresadas en este libro son exclusivamente las del autor y no reflejan necesariamente las de ninguna organización relacionada con el tema. Este libro no debe tomarse como un aval, asesoramiento legal o cualquier otra forma de consejo profesional. Este libro se ha escrito únicamente con fines de entretenimiento.

Introducción

Nicolás Maquiavelo ofrece una cautivadora exploración de la vida y el legado intelectual de la figura renacentista que dejó una huella indeleble en la filosofía política. Nacido el 3 de mayo de 1469 en Florencia, Maquiavelo desarrolló una polifacética carrera como diplomático, historiador, filósofo y escritor.

Conocido sobre todo por su influyente tratado político El Príncipe, Maquiavelo es aclamado como el padre de la filosofía política y la ciencia política modernas. Escrito hacia 1513 y publicado tras su muerte en 1532, el libro explora el despiadado pragmatismo del liderazgo político, suscitando tanto admiración como controversia. Como alto funcionario de la República de Florencia, las experiencias de Maquiavelo en asuntos diplomáticos y militares configuraron sus perspectivas sobre la compleja dinámica del poder.

La narración va más allá de "El Príncipe" para explorar las contribuciones más amplias de Maquiavelo, incluidas sus comedias, su poesía y sus influyentes "Discursos sobre la primera década de Tito Livio", que sentaron las bases del republicanismo moderno. Al examinar sus complejos puntos de vista sobre la política, el engaño y la moralidad del liderazgo, el libro desentraña las controversias que rodean el legado de Maquiavelo, desde las acusaciones de promover la tiranía hasta su duradera influencia en el pensamiento político desde la Ilustración hasta la política contemporánea. Esta biografía ofrece un retrato matizado de un pensador cuyo realismo sigue resonando a través de los siglos.

Nicolás Maquiavelo

Nicolás Maquiavelo fue un humanista florentino del Renacimiento, que nació el 3 de mayo de 1469 en Florencia y murió en la misma ciudad el 21 de junio de 1527. Teórico de la política, la historia y la guerra, poeta y dramaturgo, fue durante catorce años funcionario de la República de Florencia, para la que realizó varias misiones diplomáticas, en particular ante el papado y la corte francesa. A lo largo de estos años, observó de cerca la mecánica del poder y la interacción de ambiciones contrapuestas. Junto con Tucídides, Maquiavelo es uno de los fundadores del movimiento realista en política internacional. Es conocido sobre todo por dos grandes obras: *El Príncipe* y *Discurso sobre la primera década de Livio*.

Destacado filósofo político, fue uno de los fundadores de la política moderna, y sus escritos inspiraron a varios grandes teóricos del Estado, entre ellos Jean Bodin, Thomas Hobbes y John Locke, así como un renovado interés por la noción de conscripción, muy destacada durante la República romana. Su deseo de separar la política de la moral y la religión también tuvo un profundo efecto en la filosofía política. Es en este punto, además, donde las interpretaciones del pensamiento de Maquiavelo difieren más. Para Leo Strauss, la ruptura entre política y moral marca la frontera entre la filosofía política clásica y la moderna, que despegará cuando Thomas Hobbes suavice el radicalismo de Maquiavelo. Strauss sigue los pasos del hugonote Inocencio Gentillet y ve en Maquiavelo a "un maestro del mal": este es todo el tema del maquiavelismo como deseo de engañar, una lección de cinismo e inmoralismo. Para otros, como Benedetto Croce, Maquiavelo es un realista que distingue entre hechos políticos y valores morales y para quien, según la distinción propuesta por Max Weber, toda acción política enfrenta a los hombres de Estado a un conflicto entre la ética de la responsabilidad y la ética de la convicción. Maquiavelo también es visto desde esta perspectiva como un precursor de Francis Bacon, del empirismo y de la ciencia basada en los hechos.

Para él, la política se caracteriza por el movimiento, la ruptura violenta y el conflicto. Aunque el uso de la fuerza es una posibilidad claramente aceptada, la política también requiere habilidades retóricas para convencer a los demás. Por último, requiere que los políticos utilicen *la virtù*, uno de los conceptos clave de su pensamiento, que hace referencia a la habilidad, el poder individual y el instinto, lo que permite superar la fuerza ciega de la mala fortuna e innovar para que el Estado pueda hacer frente a los retos que se plantean. Hay aquí dos tradiciones de interpretación opuestas: las que, como Nietzsche, insisten en el carácter aristocrático del hombre de Estado maquiavélico, y las que, por el contrario, subrayan el hecho de que, en una república en la que todos tienen la libertad de participar en política, habrá muchos hombres con la *virtù* necesaria para hacer frente a los retos que se avecinan.

El republicanismo de Maquiavelo surge en sus *Discursos sobre la primera década de Tito Livio.* Este inspiraría el republicanismo de las revoluciones inglesas del siglo XVII, así como las formas de republicanismo que surgirían tras la Revolución Francesa y la Revolución Americana. Lejos de ver en *El Príncipe de* Maquiavelo un modelo a imitar, Jean-Jacques Rousseau lo vio como una sátira de la tiranía que hacía aún más necesaria la instauración de una república. La interpretación republicana de Maquiavelo experimentó un renacimiento a finales del siglo XX, sobre todo con la obra de John Greville Agard Pocock y Quentin Skinner. En contraste con esta interpretación positiva, el pensamiento de Maquiavelo ha sido cuestionado por el estallido de dos guerras mundiales y el auge de los totalitarismos. Según Charles Benoist, la gran diversidad de interpretaciones de Maquiavelo se debe a que existen al menos cuatro tipos de maquiavelismo: el de Maquiavelo, el de sus discípulos, el de sus adversarios y el de las personas que nunca lo han leído.

Niccolò Machiavelli
Segretario della Rep. Fiorentina

Biografía

Los primeros años

Nicolás Maquiavelo nació el 3 de mayo de 1469 en Florencia, en el seno de una antigua familia sin riqueza ni estatus político. Era el tercer hijo de Bernardo Maquiavelo, doctor en Derecho y tesorero papal en Roma, y de Bartolomea di Stefano Nelli, de una antigua familia de comerciantes florentinos. Aunque la familia atravesaba regularmente dificultades económicas, Nicolás, que leía mucho, recibió una sólida educación humanista. Como no dominaba el griego antiguo, leyó en latín las obras de filósofos griegos como Aristóteles, Platón, Plutarco, Polibio y Tucídides. También leyó a los grandes autores latinos: Cicerón, Séneca, César, Tito Livio, Tácito, Salustio, Ovidio y Virgilio, Plauto y Terencio. Lucrecio, cuyo *De rerum natura* (1497) copió, ejerció una profunda influencia en su enfoque de la religión.

Poco se sabe de su vida entre 1489 y 1498, un periodo convulso marcado por la Primera Guerra de Italia, la independencia en 1494 de Pisa, ciudad que hasta entonces había servido de puerto a Florencia, y el establecimiento de una teocracia en Florencia bajo Savonarola.

El 6 de mayo de 1476 fue por primera vez a la escuela. Estudió el "donatello", una edición abreviada de la gramática de Donato, un autor latino del siglo IV.

Carrera gubernamental (1498-1512)

En febrero de 1498, Maquiavelo fue nombrado segundo secretario de la Signoria. El 28 de mayo, fue nombrado para dirigir la Segunda Cancillería.

Maquiavelo fue nombrado por el Gran Consejo para dirigir la segunda cancillería de la ciudad el 19 de junio de 1498. El 14 de julio, Maquiavelo fue nombrado también secretario de los Diez de la Libertad y la Paz. Maquiavelo emprendió su primera misión el 24 de marzo de 1499. Su misión consistía en convencer a un condottiere de que se conformara con el precio acordado. En mayo, escribió el *Discurso sobre los asuntos de Pisa*. Del 16 al 25 de julio, Maquiavelo emprendió una nueva misión en Forli: Florencia quería hacerse con el hijo de Catalina Sforza, que era señor de Forli. Lejos de ser un agente subordinado, fue el todoterreno de la República florentina. Al principio se dedicó a gestionar las posesiones florentinas en Toscana, antes de convertirse en secretario de la oficina encargada de los asuntos exteriores y en uno de los enviados especiales favoritos del gobierno florentino. Sin embargo, nunca llegó a ser embajador, tarea reservada a los miembros de las familias más prominentes. Maquiavelo era sobre todo un hombre para misiones que requerían discreción e incluso secretismo, en las que debía obtener información y descifrar las intenciones de los dirigentes con los que se reunía. En este contexto, en 1500 viajó a Francia, donde se entrevistó con el cardenal Georges d'Amboise, ministro de Finanzas de Luis XII. Al cardenal, que le dijo con arrogancia que los italianos no entendían nada de guerra, Maquiavelo le replicó que los franceses no entendían nada de Estado, porque de lo contrario no habrían permitido que la Iglesia adquiriera tanta fuerza. Entre junio y julio, Maquiavelo participó en el asedio de Pisa, con dificultades para pagar a los mercenarios prestados por el rey de Francia. Del 7 de agosto a finales de diciembre, Maquiavelo acudió a la corte francesa para defender la causa de Florencia en el asunto de los mercenarios y resolver el problema de la paga para el futuro.

En 1501 se casó con Marietta Corsini, con quien tuvo una hija, Bartolomea, y cuatro hijos adultos: Bernardo, Ludovico, Piero Maquiavelo y Guido. El 2 de febrero viajó a Pistoia, ciudad sometida de Florencia, donde intentó calmar las disensiones entre dos facciones rivales. Volvió allí en julio, octubre y al año siguiente. El 18 de agosto, Maquiavelo también fue enviado a Siena para frustrar las intrigas de César con Pandolfo Petrucci, señor de Siena. En 1502, la elección de Pier Soderini como gonfalonnier de Florencia reforzó la posición de Maquiavelo. Enviado en misión al campamento de César Borgia, duque de Valentinois, entonces en Romaña, admiró la combinación de audacia y prudencia de Soderini, su hábil uso de la crueldad y el fraude, su confianza, su voluntad de evitar las medias tintas, su empleo de tropas locales y su rigurosa administración de las provincias conquistadas. Maquiavelo consideraría más tarde, en *El Príncipe,* que la conducta de César Borgia en la conquista de provincias, la creación de un nuevo Estado a partir de elementos dispersos y su trato con los falsos amigos y los aliados dudosos, era digna de recomendación y merecía ser escrupulosamente imitada. Del mismo modo, consideró "un acto de buen gobierno" la expulsión de los judíos de España por parte de la reina Isabel la Católica en 1492. El 26 de junio, Maquiavelo se apresuró a regresar a Florencia para dar a conocer las amenazas de César Borgia.

En 1505-1506, como las tropas mercenarias reclutadas por Florencia para reconquistar Pisa habían resultado costosas e ineficaces, el gobierno decidió seguir el consejo de Maquiavelo y le encomendó la tarea de levantar un ejército mediante la conscripción. En 1506, se entrevistó con el Papa Julio II. En 1507, Pier Soderini quiso enviar a Maquiavelo a negociar con el emperador Maximiliano, pero los aristócratas, que veían a Maquiavelo como su hombre y por tanto pro francés, bloquearon su nombramiento. La actitud de Soderini decepcionó a

Maquiavelo. En junio de 1509, Florencia reconquistó Pisa gracias en parte al ejército que había levantado. Fue la cumbre de su carrera gubernamental, pero también el principio del fin. Ya estaba muy aislado en la cancillería, como le advirtió uno de sus colegas, Biagio Buonaccorsi, en un críptico pasaje: "aquí hay muy poca gente que quiera ayudarte". A pesar de ello, Maquiavelo podía contar con algunos amigos leales que le tenían en gran estima, como Biagio Buonaccorsi y Agostino Vespucci.

En 1511, el Papa Julio II instigó la creación de la Liga Santa contra Francia, una iniciativa contraria a la política seguida por Soderini y Florencia, aliados de los franceses. Así, cuando los franceses fueron derrotados en 1512, el Papa permitió que los españoles devolvieran el poder a los Médicis. La República de Florencia cayó, las tropas de Maquiavelo fueron derrotadas en Prato y Soderini se vio obligado a exiliarse. No obstante, Maquiavelo intentó mantenerse en el cargo escribiendo a Julián de Médicis una carta en la que se erigía en defensor del interés público y le pedía que fuera razonable en su exigencia de devolución de sus bienes robados. No tuvo éxito. A principios de noviembre de 1512, fue relevado de sus funciones de secretario de la Cancillería. Tuvo que constituir un gran depósito y rendir cuentas de su gestión.

Descenso

En enero de 1513, Maquiavelo fue sospechoso de haber participado en un complot urdido por Pietro Paolo Boscoli. Detenido el 20 de febrero, fue incomunicado y torturado. Fue liberado en marzo de 1513, cuando se concedió una amnistía general con motivo de la ascensión al trono papal del cardenal Jean de Médicis con el nombre de León X. Se retiró entonces a su finca de Sant'Andrea in Percussina, una *frazione* de San Casciano in Val di Pesa. Al año siguiente, Maquiavelo interrumpió la redacción de sus *Discursos* para continuar con su obra más famosa, *El Príncipe*. En las cartas que escribió hacia 1513 a Francesco Vettori se perciben dos temas centrales de El *Príncipe*: su desesperación por los asuntos italianos y el inicio de su teorización sobre lo que podría ser un príncipe dotado de *virtù, es* decir, capaz de unir al pueblo italiano. También demostró una firme creencia en la inteligibilidad de la historia y la política. *El Príncipe*, dedicado a Lorenzo II de Médicis, fue su forma de intentar recuperar un lugar en la vida política de Florencia. La dedicatoria del libro es bastante explícita:

"Deseando, pues, por mi parte ofrecerme a Vuestra Magnificencia con alguna muestra de mi respetuosa devoción hacia Él, no he encontrado entre mis posesiones nada que valore o tenga en tanta estima como el conocimiento de los hechos de los grandes hombres, tal como he adquirido de las cosas modernas por larga experiencia y de las antiguas por asidua lectura".

- Dedicatoria del *Príncipe* a Lorenzo II de Médicis

Durante este periodo de relegación, escribió también dos libros inspirados en conversaciones mantenidas con su círculo de amigos en los jardines de la familia Rucellai (*Orti Oricellari*): los Discursos *sobre la primera década de Livio* y el *Arte de la guerra*. Mientras que en *El Príncipe se* presenta como un consejero, en los *Discursos se* ve más como un maestro que enseña a los más jóvenes. Para él, la obra del historiador Tito Livio era una biblia, y la utilizaba ampliamente para analizar los acontecimientos políticos.

Durante este periodo, también se entregó a la literatura para animar esta compañía de amigos. En 1515, escribió la *muy divertida Nouvelle de l'Archidiable Belphégor, qui prit femme*, un cuento corto supuestamente tomado "de una de las antiguas crónicas de Florencia" y que "representa a Plutón en el inframundo, muy avergonzado al ver cómo todos sus clientes culpan a sus esposas de sus faltas. Quiere llegar al fondo del asunto y envía al archidiablo Belphegor a la Tierra con la misión de casarse con una chica guapa y ver qué pasa". Este es el único cuento escrito por Maquiavelo, y no se publicó hasta 1545.

Al mismo tiempo, empezó a escribir obras de teatro. La primera fue *L'Andrienne*, una traducción fiel de una obra de Terencio, que no tuvo mucho éxito. Su siguiente obra, sin embargo, fue muy bien recibida: *La Mandragore*, una comedia en cinco actos sobre cinco personajes y sus criados. Muestra las estratagemas con las que el joven Callimaco intenta seducir a la joven y virtuosa Lucrecia, casada con el barón Nicia, que lamenta no tener hijos. Callimaco se hace pasar por un reputado médico que promete el éxito con una poción hecha a base de mandrágora. La obra, bastante anticlerical, se representó por primera vez en Florencia en 1518, con motivo de la boda de Lorenzo de Médicis con Madeleine de La Tour d'Auvergne.

En 1517 escribió un poema alegórico, L'*Asino d'oro* (*El asno de oro)*, en el que expresa su tristeza. También escribió varios poemas y piezas satíricas: "todos tienen el mismo carácter de fuerza, cólera, ingenio satírico, disposiciones amorosas y quejas sobre su desgraciado destino". Su decepción es evidente en una carta a Vernacci ese mismo año: "El destino me ha hecho lo peor que podía hacerme. Estoy reducido a una condición en la que no puedo hacer nada por mí mismo y menos aún por los demás".

Los últimos años: 1520-1527

A petición del cardenal Julio de Médicis, futuro Clemente VII, comenzó a escribir su *Historia de Florencia en* 1520, que no terminó hasta 1526. También escribió un *Discurso sobre la reforma del Estado de Florencia* (1520), encargado en secreto por León X. En 1521, Florencia envió a Maquiavelo al Capítulo General de los Franciscanos en Carpi, mientras el gremio de la lana le pedía que buscara un predicador para el año siguiente. Esto provocó un comentario irónico de su amigo Guicciardini (Guichardin), que conocía los sentimientos religiosos del florentino. Guichardin, uno de sus atraídos corresponsales, publicaría más tarde *Considerazioni sui Discorsi del Machiavelli*. En 1525, los amigos de Maquiavelo se burlaron de su relación con Barbara Salutati, la cantante de su obra *La Mandragore*. Esta relación inspiró a Maquiavelo a escribir una nueva comedia, *Clizia*, basada en el argumento de *la Casina* de Plauto, en la que el viejo Nicomaco se enamora perdidamente de una joven, Clizia. La comedia tuvo un gran éxito, extendiéndose más allá de Toscana y Lombardía. Este éxito relanzó *La Mandragore, que se* representó en Venecia en 1526, donde fue acogida con entusiasmo.

A partir de 1525, Maquiavelo intuyó que Italia se convertiría en el campo de batalla en el que se enfrentarían Carlos V y Francisco I. En 1526, Florencia le pidió consejo para reforzar sus fortificaciones y formar un ejército. En 1527, el emperador Carlos V, descontento con la dilación de Clemente VII, lanzó contra Florencia un ejército imperial mal pagado. Maquiavelo pidió a Guicciardini, entonces teniente general de los ejércitos papales en el norte, que acudiera al rescate. Con la ayuda de los franceses, salvó Florencia, pero no pudo evitar el saqueo de Roma en mayo de 1527. Siguió una revuelta antimedicista y el establecimiento de una nueva república en Florencia. Maquiavelo murió unas semanas más tarde, el 21 de junio de 1527, de peritonitis.

Maquiavelo fue enterrado en la Basílica de la Santa Cruz de Florencia, en el panteón de la familia Maquiavelo. A finales del siglo XVIII, a instancias de Lord Nassau Clavering, se erigió un monumento en su honor cerca de la tumba de Miguel Ángel, coronado por una alegoría de la musa Clío, símbolo de la Historia y la Política, con la máxima *Ningún elogio puede igualar un nombre tan grande*.

Principales obras

El Príncipe

Las circunstancias que rodearon la redacción de El *Príncipe las conocemos* gracias a una carta de Maquiavelo a su amigo Francesco Vettori fechada el 10 de diciembre de 1513: "He tomado nota de mis conversaciones con ellos [la lectura de los antiguos] de lo que me parecía esencial y he compuesto un opúsculo *De Principatibus*, en el que profundizo lo mejor que puedo en los problemas que plantea un tema como éste: qué es la soberanía, cuántas clases hay, cómo se adquiere, cómo se conserva, cómo se pierde". Así pues, el título original no era *Le Prince*, sino *Des principautés, lo que*, según Artaud, sitúa esta obra en un contexto diferente.

El libro consta de 26 breves capítulos. En los once primeros, Maquiavelo considera cómo pueden gobernarse y preservarse los principales tipos de principados. Los tres capítulos siguientes tratan de la política militar en casos de agresión y defensa. A continuación, nueve capítulos examinan las relaciones que el príncipe debe establecer con su entorno y sus súbditos, y las cualidades que debe demostrar. Los tres últimos capítulos abordan las desgracias de Italia, la necesidad de liberarla de los bárbaros y los poderes respectivos de *la virtù* y la Fortuna.

Para Augustin Renaudet, *El Príncipe* es el "breviario del absolutismo", un análisis de los métodos por los que un hombre ambicioso puede ascender al poder. Lo mismo puede decirse de Jacob Burckhardt. Para Wayne A. Rehhorn, en cambio, ve al Príncipe descrito por Maquiavelo como una mezcla de arquitecto y albañil, que traza el plano y construye la ciudad o el Estado. Maquiavelo utiliza el verbo "nacer" *(nascere)* veintisiete veces y los verbos "crecer" *(crescere)* y "aumentar" (*accrescere)* seis veces cada uno. Aunque Maquiavelo menciona dos veces que el Príncipe crea el Estado introduciendo la forma en la materia, para él, a diferencia de los escolásticos o Aristóteles, el crecimiento no está fundamentalmente vinculado a nada orgánico o sexual. Se refiere ante todo a los fundamentos del Estado y de la razón: "su visión trata de la libertad y del poder, y vincula al Príncipe con la tradición épica, en particular con un importante héroe épico de la Antigüedad: el Eneas de Virgilio". Como Virgilio, Maquiavelo estructuró su pensamiento contraponiendo el ocio pastoral al trabajo y al dolor. Como Eneas, el fundador de Lavinium, el *Príncipe* de Maquiavelo está siempre ocupado en fundar el Estado o en mantenerlo. En apoyo de esta tesis, Rebhorn señala que la *virtù de Maquiavelo se* refiere a los atributos del héroe épico: valor, astucia, talento y carácter.

Para Leo Strauss, "el tema principal de El *Príncipe* es el príncipe enteramente nuevo de un Estado enteramente nuevo, es decir, el fundador". Para Maquiavelo, según este historiador de la filosofía, la justicia no es, como en Agustín de Hipona, el fundamento del reino, porque aquí "el fundamento de la justicia es la injusticia; el fundamento de la legitimidad es la ilegitimidad o la revolución; el fundamento de la libertad es la tiranía". Para Strauss, el pasaje más esclarecedor del libro se encuentra en el capítulo final, cuando Maquiavelo insta a Lorenzo de Médicis a liberar Italia. En este pasaje, según Strauss, Maquiavelo profetiza:

"La profecía de Maquiavelo afirma así que una nueva revelación, la revelación de un nuevo Decálogo, es inminente [...] Este nuevo Moisés es el propio Maquiavelo, y el nuevo Decálogo es la enseñanza enteramente nueva relativa al príncipe enteramente nuevo de un Estado enteramente nuevo. Es cierto que Moisés era un profeta armado y que Maquiavelo es uno de esos profetas desarmados que conducen necesariamente al desastre".

Discurso sobre la primera década de Tito Livio

Si el *Príncipe* es el libro más leído de Maquiavelo, los *Discursos* son la obra en la que expresa más claramente su visión de la política y sus simpatías republicanas. Es también un libro en el que presta gran atención a la monarquía francesa, a la que ve como la mejor de todas las monarquías atemperadas por leyes y parlamentos. Sin embargo, aunque el pueblo vivía seguro, no era libre. El rey, desconfiando de sus súbditos, prefería desarmarlos y recurrir a mercenarios extranjeros. El pueblo era totalmente pasivo y la nobleza dependiente. Así pues, aunque el reino de Francia era una "buena monarquía", no podía compararse con la República romana, donde el pueblo y la nobleza participaban en el gobierno.

Según Leo Strauss, mientras que el plan del *Príncipe es* fácil de entender, el de los *Discursos* es oscuro. La idea general parece ser el deseo de Maquiavelo de redescubrir los valores de los antiguos, valores que el cristianismo ha tendido a equiparar con vicios, de modo que en los *Discursos* no sólo trata de presentar la virtud antigua, sino también de rehabilitarla "frente a la crítica cristiana". Para ello, tuvo que establecer tanto "la autoridad de la antigua Roma... [como] la autoridad de Tito Livio", lo que hizo en el Libro I. En el Libro II, argumenta que mientras la religión cristiana ha puesto "el bien supremo en la humildad, el envilecimiento y la denigración de las cosas humanas [...] la religión antigua ha puesto el bien supremo en la grandeza de alma". En el Libro III, insiste en el hecho de que, para perdurar, las repúblicas necesitan con frecuencia volver la vista a sus comienzos. En la Iglesia, es lo que hicieron los franciscanos y los dominicos, pero dejando intacta la jerarquía. Para que estos nuevos recursos funcionen realmente, hay que volver, según Maquiavelo, al terror primitivo. Pierre Manent llega a la misma conclusión: el nuevo orden político preconizado por Maquiavelo presupone "el terror en un sentido esencial".

El problema de la continuidad del pensamiento de Maquiavelo entre *El Príncipe* y los *Discursos*

Existen dos interpretaciones principales de esta obra y su relación con *El Príncipe.* Para Geerken, que sigue una tradición establecida, no hay grandes diferencias entre los dos libros. Por el contrario, para Pocock, Baron y Quentin Skinner, más allá de los elementos comunes - "la misma polaridad entre *virtù* y *fortuna*, la misma importancia de la fuerza bruta para triunfar sobre la adversidad y la misma moral política fundada en la *virtù*" - los dos libros no se centran en el mismo "valor básico". Para Quentin Skinner, el valor básico del *Príncipe* es la seguridad para "mantener sus Estados", mientras que el valor básico de los *Discursos* es la libertad política. Skinner rechaza la interpretación que Cassirer hace de Maquiavelo como un mero "especialista científico y técnico de la vida política". Para él, de hecho, "Nicolás es en realidad un constante e incluso ferviente partidario del gobierno popular". Skinner sostiene que el tono general de los *Discursos es* de "decidida hostilidad" a la monarquía. De hecho, señala que el tema del primer *Discurso* es el advenimiento de la libertad republicana y que el segundo libro trata del modo en que el poder militar apoyó la libertad del pueblo, estando el tercero dedicado a mostrar la importancia de la acción de los individuos libres en la grandeza de Roma.

El arte de la guerra

Maquiavelo escribió El *arte de la guerra* en agosto de 1521 por varias razones. En primer lugar, durante la Primera Guerra de Italia, dirigida por el rey de Francia en 1494, Pisa, entonces un puerto importante, se separó de Florencia. El gonfalone (jefe de gobierno) de Florencia, Pier Soderini, quiso reconquistar la ciudad. Para ello, primero llamó a los señores de la guerra (condottieres) y a sus tropas mercenarias (*condotta).* Estos últimos fracasaron en su misión y costaron mucho dinero al Estado. Por ello, Maquiavelo recibió el encargo de introducir una especie de servicio militar obligatorio (*ordinanza) en los* alrededores de Florencia. A pesar de que los reclutas sólo recibían instrucción los domingos y días festivos, Maquiavelo consiguió formar un ejército de unos 2.000 hombres, que actuaron honorablemente durante la reconquista de Pisa el 8 de junio de 1509. Sin embargo, fueron derrotados por las tropas imperiales que reinstalaron a los Médicis como gobernantes de Florencia en 1512.

En la época en que Maquiavelo escribió su obra, estaban apareciendo en Italia muchos libros sobre la conscripción y las fuerzas armadas. En 1487 se publicó *Antiguos escritores militares*; en 1496 se reeditaron *El arte de la guerra*, de Vegecio, y El tratado de *las estratagemas*, de Frontino. De hecho, la Primera Guerra de Italia, librada por los franceses con el apoyo de infantería suiza y gascona y artillería pesada, demostró que la guerra había cambiado de forma y que las guerras de bajo coste libradas por los condottieres eran cosa del pasado. Los franceses, cuyos suizos habían adoptado las tácticas de las falanges griegas, fueron a su vez superados en la batalla de Cérignole en 1503 por la infantería española, que empleó una técnica heredada de las legiones romanas.

El *Arte de la Guerra adopta la forma* de un diálogo entre tres jóvenes aristócratas, el condottiere Fabrizio Colonna, que participó en la batalla de Cérignole, y su anfitrión, el joven Cosimo Rucellai, a quien está dedicado el libro. La conversación tiene lugar en los jardines de Rucellai, *Orti Oricellari*. Los tres jóvenes aristócratas son republicanos y serán desterrados tras conspirar contra los Médicis. En esta obra, dividida en siete libros, Maquiavelo entra en grandes detalles: indica cómo colocar a los soldados en cada compañía, cómo maniobrar, etc. Para Jean-Yves Boriaud, el objetivo de Maquiavelo era "demostrar al lector que el sistema militar italiano, actualmente ineficaz, sólo puede recuperar su valor volviendo a la Antigüedad".

A diferencia de Erasmo, para quien la guerra era "pura maldad", Maquiavelo no se interesaba por el elemento moral, sino por la eficacia. En El *Príncipe,* escribió: "Un príncipe no puede tener otro objetivo, otro pensamiento que la guerra, y no debe dar a su arte otro objeto que su organización y disciplina", otra forma de decir que la guerra es un estado de cosas. El *Arte de la Guerra* se convirtió rápidamente en un clásico. Fue citado por Montaigne y el Mariscal de Sajonia en sus *Rêveries sur l'art de la guerre*. Maquiavelo fue sin duda uno de los que contribuyeron a popularizar la idea del servicio militar obligatorio, que se extendió por toda Europa con la Revolución Francesa.

Historias florentinas

El 8 de noviembre de 1520, el cardenal Julio de Médicis encargó a Maquiavelo que escribiera una historia de Florencia. Pasó seis años escribiéndola y la presentó al Papa en mayo de 1525. Sin embargo, la carta de dedicatoria parece dar a entender que planeaba hacer añadidos al texto. El libro recorre los orígenes de la ciudad hasta la muerte de Lorenzo de Médicis en 1492. Para Maquiavelo, la historia era un estudio, una investigación. Al igual que los historiadores humanistas, la investigación histórica tenía motivos tanto prácticos como teóricos. Si en este estudio examina el contexto desde el punto de vista intelectual, cultural, económico y social, es para estudiar sus consecuencias políticas. A diferencia de Leonardo Bruni y Poggio Bracciolini, que le precedieron en la redacción de una historia de Florencia, consideró las divisiones y discordias que animaban la vida política florentina como signos de grandeza, y criticó a esos dos historiadores por no haber sabido verlas. En cierto modo, en su opinión, estos autores sobrestimaban el poder de la moral y subestimaban la ambición de los hombres y su deseo de ver perpetuado su nombre.

Los dos primeros libros están dedicados a la historia de Roma y Florencia. En el Libro III, sostiene que la expulsión de la nobleza llevó a Florencia a perder su "ciencia de las armas" y "la audacia de su espíritu". En el primer capítulo del Libro IV, acusa a la plebe y a la nobleza de haberse entregado a la corrupción, la primera al libertinaje y la segunda a la esclavitud. A finales del siglo XIV, Florencia había perdido su vigor y vivía en la corrupción.

Filosofía política

Las opiniones están muy divididas sobre el pensamiento de Maquiavelo, un autor al que Raymond Aron describe como "la esfinge, el diplomático al servicio de Florencia, el patriota italiano, el autor cuya prosa, en todo momento límpida y sobre todo equívoca, oculta sus intenciones, cuyas sucesivas iluminaciones han desafiado el ingenio de los comentaristas durante cuatro siglos".

Una ruptura con la filosofía política anterior

Para Leo Strauss, Maquiavelo marcó el fin de la filosofía política clásica inaugurada por Platón y Aristóteles, cuyo objetivo era desarrollar la virtud y donde la moral era "algo sustancial: una fuerza en el alma del hombre", mientras que en Maquiavelo, por el contrario, la moral es distinta de la política. Debido a la radicalidad del pensamiento de Maquiavelo, el historiador considera que el verdadero fundador de la filosofía política moderna es Thomas Hobbes, que en cierto modo suavizó el pensamiento del florentino. Pierre Manent caracteriza las diferencias entre Maquiavelo y Hobbes con una fórmula lapidaria: "Maquiavelo es un teórico de la acción política, Hobbes un teórico de la institución".

Una ruptura entre el poder y la moralidad

A lo largo de su libro *El Príncipe*, Maquiavelo critica la opinión dominante en su época de que la autoridad legítima deriva de la bondad moral. Considera que la legitimidad o ilegitimidad del poder no puede juzgarse sobre una base moral. Maurizio Viroli sostiene que los pasajes más controvertidos de El *Príncipe son* ataques explícitos a la teoría política de Cicerón. A la observación del romano de que lo que se consigue mediante el fraude y la fuerza es bestial e indigno del hombre, Maquiavelo responde que quien gobierna debe emplear medios bestiales además de los propiamente humanos. Al argumento de Cicerón de que es mejor usar el amor que el miedo para asegurar la influencia, Maquiavelo responde que es más eficaz "ser temido que ser amado". Al romano que sostenía que la crueldad era lo que más aborrecía la naturaleza humana, Maquiavelo replica en el capítulo 8 de El *Príncipe:* "Pueden llamarse bien empleadas las crueldades (si del mal es lícito decir del bien) que se hacen de una vez, en aras de la seguridad necesaria, y en las que no se persiste después, sino que se convierten en mayor provecho para los súbditos". Sin embargo, no debemos imaginar que Maquiavelo se opusiera totalmente a los principios de Cicerón. Según Maurizio Viroli, el romano tiene razón salvo en los casos en que está en juego la supervivencia del Estado. En general, Nederman sostiene que para Maquiavelo "la noción de derecho legítimo a gobernar no añade nada a la posesión real del poder". La esencia de la política reside en el estudio de cómo utilizar el poder para garantizar la seguridad del Estado, mantenerse en el poder y ser obedecido por el pueblo. Aunque Maquiavelo creía que unas buenas leyes y un ejército fuerte eran la base de un sistema político eficaz, para él la fuerza primaba sobre la ley.

Para Leo Strauss, Maquiavelo inauguró "una política basada exclusivamente en consideraciones de conveniencia, una política que emplea todos los medios, leales o desleales", y preparó "la revolución llevada a cabo por Hobbes". Para este historiador de la filosofía política, en Maquiavelo, como en Hobbes, "en el principio no está el Amor, sino el Terror". Maquiavelo sería, pues, el Moisés de un nuevo decálogo de la filosofía política, un nuevo decálogo que conduce al desastre.

Haciendo hincapié en esta visión crítica, Pierre Manent considera que "las ideas de Maquiavelo equivalen a una *derrota de lo universal*. Su concepción del Príncipe dual, su tema obsesivo de la violencia indispensable y de la crueldad saludable sólo son lógica y políticamente necesarios debido a los elementos sobre los que Maquiavelo construye su teoría: el individuo despojado de las prerrogativas que la filosofía clásica le reconocía, y el acontecimiento inasimilable a sus ojos por los universales disponibles en su época".

Maurice Merleau-Ponty encuentra a Maquiavelo, en última instancia, más moral que aquellos que hacen profesión de moralidad y que, aunque afirman preocuparse por los demás, en realidad sólo se preocupan por estar de acuerdo consigo mismos e ignoran los deseos de aquellos para quienes pretenden su moralismo.

¿Qué significa esta ruptura: maquiavelismo, empirismo o realismo?

El enfoque que Maquiavelo da a la política es neutral con respecto a quién está en el poder. Los lectores de El Príncipe han hecho de la palabra "maquiavélico" sinónimo de engaño, despotismo y manipulación política. Leo Strauss se inclina por seguir la tradición de ver a Maquiavelo como un "maestro del mal", en la medida en que aconseja a los príncipes prescindir de los valores de justicia, misericordia, templanza, sabiduría y amor a su pueblo en favor del uso de la crueldad, la violencia, el miedo y el engaño. En este sentido, ve a Maquiavelo como lo opuesto al americanismo y a las aspiraciones estadounidenses.

Ya en 1605, Francis Bacon reconocía que Maquiavelo no hace más que exponer abiertamente lo que hacen los gobernantes en lugar de lo que deberían hacer. Del mismo modo, para el filósofo antifascista italiano Benedetto Croce (1925), Maquiavelo es un realista o pragmático que entendía que los valores morales sólo tienen una influencia limitada en las decisiones de los dirigentes políticos. Para el filósofo alemán Ernst Cassirer (1946), Maquiavelo adopta la actitud de un hombre de ciencia política; es el Galileo de la política, que distingue entre los hechos de la vida política y los valores de los juicios morales.

¿Ciencia pura o vuelta a la sabiduría política romana?

Al insistir en la inutilidad de teorizar a partir de situaciones ficticias, Maquiavelo se considera a veces el prototipo del científico moderno que construye generalizaciones a partir de la experiencia y los hechos históricos.

"Emancipó la política de la teología y la filosofía moral. Se propuso describir simplemente lo que hacían los gobernantes y anticipó lo que más tarde se llamó la mente científica, en la que se ignoran las cuestiones del bien y el mal, y el observador busca descubrir sólo lo que realmente sucedió".

Henri Baudrillart adopta un punto de vista más matizado, al considerar que Maquiavelo "concebía la política como un arte más que como una ciencia. Su política es todo acción. Poco importa que se trate de olvido o de escepticismo: omitió casi por completo lo que hace de la política una ciencia en el sentido filosófico de la palabra, entendiendo por tal el estudio de los fundamentos mismos de la sociedad y la comparación racional de las legislaciones. Esta noción filosófica del derecho, tal como la concebía Montesquieu, es ajena y antipática a su genio". Para Raymond Aron, la política de Maquiavelo es esencialmente una técnica de acción que piensa únicamente en términos de medios y acaba confundiendo fines y medios. El problema es que, en su opinión, tal proyecto de ciencia política corre el riesgo de "conducir a un amoralismo excesivo". No obstante, Aron insistió en el carácter científico del planteamiento de Maquiavelo y lo comparó con el de Vilfredo Pareto. Hay que señalar que los estudios de Aron se han centrado en lo que Maquiavelo puede enseñarnos sobre política exterior desde una perspectiva cercana al realismo, aunque considera que los métodos de Maquiavelo y Pareto proporcionan una visión "empobrecida" porque "la existencia humana está desfigurada por este modo *realista* de consideración".

Para Leo Strauss, Maquiavelo desarrollaba "una especie de aristotelismo degradado", al suponer sin pruebas que no era posible una "ciencia natural teleológica", es decir, guiada por una causa final. Pero con ello Maquiavelo no hacía sino anticiparse a la nueva ciencia natural que se desarrollaría en el siglo XVII, con la que tendría un "parentesco oculto". Mientras que los clásicos buscaban el estado normal o medio, los modernos basarían su teorización más en los casos extremos y las excepciones.

Según Maurizio Viroli, es erróneo considerar a Maquiavelo como el fundador de la ciencia política, porque el florentino no era un científico en ningún sentido de la palabra. No era un científico en el sentido empírico del término, porque no buscaba recoger o describir un conjunto de hechos adecuados, sino que interpretaba "palabras, acciones, gestos y textos para dar consejos, hacer predicciones y reconstruir historias *post factum*". Tampoco es un científico como Hobbes, cuyo sistema se basa en deducciones a partir de definiciones irrefutables de las palabras. Tampoco su método era como el de Galileo, pues Maquiavelo no hacía ni experimentos ni generalizaciones basadas en un número significativo de hechos. Por último, Maquiavelo no era un científico en el sentido de una persona que se negara a recurrir a lo sobrenatural, ya que la fortuna (el destino) tenía para él una importancia indudable.

Maurizio Viroli sostiene que lo que hemos tomado por ciencia es el arte del retórico. Maquiavelo utiliza su conocimiento de la historia y su capacidad de interpretar acciones, palabras y gestos para persuadir. Desde este punto de vista, la política no es sólo una prueba de fuerza, también requiere elocuencia, y libros como los *Discursos* y especialmente El *Príncipe* deben leerse no como escritos destinados a exponer una verdad científica o moral, sino como una llamada a la acción. Esta forma de leer *El Príncipe* es, según Viroli, la única que permite comprender por qué Maquiavelo incluyó al final de su libro una "Exhortación a tomar Italia y liberarla de los bárbaros", pasaje que no tiene cabida en un escrito destinado a ser "científico".

En resumen, para el erudito italiano, Maquiavelo representa la cumbre de la tradición romana de la *scientia civilis* basada en el arte de la deliberación. Con ello, forma parte de una tradición en la que la retórica se considera un instrumento político para moldear las respuestas de sus interlocutores e influir en su voluntad. Maquiavelo se inscribe en la tradición de la retórica política y jurídica teorizada por las obras de Aristóteles, Cicerón y Quintiliano, tal y como se recuperó en las ciudades-estado italianas a partir de los siglos XII y XIII. En Florencia, el canciller Brunetto Latini (hacia 1210-1294), más conocido hoy como una de las almas condenadas del *Infierno* de Dante, escribió extensamente sobre la utilidad de la elocuencia para abordar los conflictos políticos.

La ciencia humana y el arbitraje entre la moral de la responsabilidad y la moral de la convicción

Para Max Weber, no puede haber ciencia pura en las ciencias humanas, porque siempre hay un conflicto entre el "juicio de realidad" y el "juicio de valor". Esto es lo que atrajo a Raymond Aron hacia Weber, porque la sociología positivista francesa de Auguste Comte carecía de esta distinción. La idea de Weber era que los fines últimos del ser humano no dependen de la ciencia, sino de la elección de valores que hace el individuo. En las ciencias humanas, tenemos que elegir entre la ética de la responsabilidad y la ética de la convicción: en la primera, debemos prever las consecuencias de nuestros actos, mientras que en la segunda, actuamos según nuestra conciencia, a riesgo de ser ineficaces. Este conflicto entre dos éticas opuestas está presente, según Weber, en Maquiavelo: "[...] en un bello pasaje de sus *Historias florentinas*, si no recuerdo mal, Maquiavelo alude a esta situación y pone en boca de un héroe de esa ciudad las siguientes palabras, en homenaje a sus conciudadanos: *Prefirieron la grandeza de su ciudad a la salvación de sus almas*.

De ello se deduce que siempre hay que elegir entre la ética de la responsabilidad y la ética de la convicción. Por lo tanto, según Aron, Weber no veía la *realpolitik* de Maquiavelo como "una caricatura de la ética de la responsabilidad", sino más bien como un deseo realista de decidir entre dos extremos, lo que significa que "todo político es un poco *maquiavélico*".

La noción de Estado

En *El Príncipe, la palabra "estado"* (*stato*) ya no significa "condición, posición", sino que se utiliza para significar la adquisición y el ejercicio del poder coercitivo. Según Maurizio Viroli, en la época de Maquiavelo, la palabra "estado" evocaba no sólo el poder de un hombre sobre la ciudad, sino también el conflicto entre los intereses del estado, por un lado, y la ética cristiana y el derecho internacional, por otro. Friedrich Meinecke, por su parte, considera que Maquiavelo fue el primero en formular el concepto moderno de Estado en el sentido de Max Weber, es decir, como un conjunto de normas impersonales que garantizan el monopolio de la autoridad sobre un territorio. Mansfield (1996), por su parte, insiste en que en aquella época la palabra aún tenía el significado de *Dominium*, un dominio privado, y todavía no presentaba el aspecto impersonal y mecánico de la noción moderna de Estado. Para los Medici, el término "Estado" significaba el poder de una familia o de un hombre sobre las instituciones de la ciudad. Lo nuevo, sin embargo, es la insistencia de Maquiavelo en que, para que un Estado se posea realmente a sí mismo, debe tener un ejército formado por sus ciudadanos o súbditos.

Mientras que muchos estudiosos creen, siguiendo a Friedrich Meinecke, que Maquiavelo contribuyó a forjar la noción de raison d'État, según la cual el bien del Estado debe primar sobre toda consideración moral, Maurizio Viroli se limita a señalar que, hacia principios de la década de 1520, en el conflicto entre el interés del Estado y la razón moral y jurídica, el interés del Estado se percibió entonces como equivalente a la raison d'État, de modo que el conflicto se convirtió en una confrontación entre dos *razones*.

Raymond Aron insiste en que la concepción del Estado "como instrumento de coerción legítima" se basa en una antropología en la que el hombre es visto como naturalmente amoral, concepto que Fichte tomó de Maquiavelo para convertirlo en el "primer principio de su filosofía del Estado". En el mismo sentido, para Jacques Maritain, el culto del Estado iniciado por Hegel y sus seguidores no era "más que una sublimación metafísica de los principios de Maquiavelo". De forma aún más pesimista, Leo Strauss considera a Maquiavelo como un filósofo que ve la condición humana en términos de lo infrahumano y no de lo sobrehumano.

NICCOLÒ MACCHIAVELLI

Condición humana, religión y política

La condición humana y el cosmos

Según Maquiavelo, la ambición y la avaricia empujan a los hombres a la discordia y la guerra. En su poema La *canción de los espíritus felices*, describe un mundo marcado por la crueldad y la vida miserable de los mortales. Maquiavelo fue testigo de muchas crueldades a lo largo de su vida, como el saqueo de la ciudad de Prato en 1512, donde, según una de sus cartas, vio morir a más de cuatro mil personas. Para el florentino, el hombre era el animal más desgraciado y el más desprovisto de todo. En un poema titulado *El asno de oro*, un cerdo le dice:

En este poema, Maquiavelo hace a veces referencia explícita al *De rerum natura* de Lucrecio, que él mismo tradujo. Maquiavelo no ve a los seres humanos como dueños del universo, sino más bien como víctimas de la naturaleza y del destino. Para Maquiavelo, aunque la naturaleza humana permanece invariable a lo largo de la historia, lo que permite extraer generalizaciones de los relatos históricos, los acontecimientos dependen también de elementos cósmicos y de la evolución cíclica de la moral. Maquiavelo escribió

"*La virtud* dará tranquilidad a los Estados; la tranquilidad hace nacer la pereza, y la pereza consume las naciones y los hogares. Finalmente, tras pasar por un período de desorden, las ciudades ven renacer *la virtù* entre sus muros. Quien gobierna el universo permite este orden de cosas, de modo que nada es ni puede ser estable bajo el sol."

El cosmos de Maquiavelo incluye el cielo, la *fortuna, a la que describe* en el poema *Fortuna* como una diosa a la que teme incluso Júpiter, y Dios, el último recurso de los desdichados. Aunque hay pocas referencias a Dios en *El Príncipe*, Maquiavelo lo menciona cinco veces en la "Exhortación para liberar a Italia", pasaje prospectivo con el que concluye la obra.

Religión y política

En la época de Lorenzo el Magnífico y justo después, en tiempos de Maquiavelo, el pensamiento popular florentino combinaba el determinismo astrológico con un idealismo platónico que valoraba a sabios como Lorenzo. Este marco, que se prestaba al providencialismo cristiano, atraía a Maquiavelo tanto como le repelía. Desde el punto de vista religioso, Maquiavelo estuvo muy influido por Lucrecio. Virgilio Adriani, profesor de la Universidad de Florencia que fue canciller de Maquiavelo, sostenía que Lucrecio erradicaba el miedo supersticioso al proporcionar una comprensión de la naturaleza de las cosas. También sostenía que los sacrificios destinados a ganarse la gracia de los dioses mantenían a los hombres en la esclavitud al aumentar sus temores. Por último, Adriani insistía en la flexibilidad y la movilidad necesarias para hacer frente a los cambios de fortuna. Pero aunque Maquiavelo aceptaba en lo esencial la opinión de Adriani sobre Lucrecio, difería de éste en un punto clave. Mientras que Lucrecio quería liberar a los hombres de su miedo, Maquiavelo quería utilizarlo con fines políticos. En los *Discursos* (I, 14), muestra cómo los romanos utilizaban la religión y el miedo para ganar aceptación y autoridad para sus leyes. En los *Discursos* (II, 2), critica la religión cristiana por fomentar la pasividad, cuando la religión romana fomentaba las reacciones fuertes. De hecho, en el caso de Maquiavelo, la política no se aparta simplemente de la religión, como piensa Benedetto Croce; para Alison Brown, la subordina y la convierte en uno de sus instrumentos. En esto, sigue más a Polibio que a Tito Livio.

Maquiavelo hace una crítica indirecta de la religión en sus *Discursos sobre la primera década de Tito Livio*, en los que examina las causas de la decadencia del Imperio Romano. Lo atribuye a la religión cristiana:

"Cuando consideramos por qué los pueblos de la antigüedad estaban más enamorados de la libertad que los de nuestra época, me parece que es por la misma razón por la que los hombres de hoy son menos robustos, lo que se debe, en mi opinión, a nuestra educación y a la de los antiguos, que son tan diferentes entre sí como nuestra religión y las religiones antiguas. En efecto, nuestra religión, habiéndonos mostrado la verdad y el único camino de salvación, ha disminuido a nuestros ojos el precio de los honores de este mundo".

- Maquiavelo, *Discursos*, II, 2

Maquiavelo vuelve sobre este aspecto en *El arte de la guerra*. A la pregunta: "¿Por qué se ha extinguido hoy la virtud militar?", Fabrizio, portavoz de Maquiavelo, responde: "[...] la culpa es de las nuevas costumbres introducidas por la religión cristiana. Hoy en día, ya no existe la misma necesidad de resistir al enemigo [...] Hoy en día, casi siempre se respeta la vida de los vencidos [...] Por muchas veces que se subleve una ciudad, nunca es destruida". Gérard Colonna d'Istria y Roland Frapet ven en Maquiavelo una "pasión anticristiana" cuidadosamente disimulada en una estrategia de escritura que procede por ataques dispersos mientras culmina en "una condena radical del cristianismo". Maquiavelo deplora el lamentable estado de una Italia desgarrada por la política de los papas, sus vicios y el fanatismo cristiano que culminó con la "piadosa crueldad" de Fernando de Aragón, primer rey de la Cristiandad, que expulsó a los judíos y marranos de España en 1492. Según estos autores, "Maquiavelo creía haber descubierto una prueba sorprendente de que un objetivo demasiado ambicioso podía llevar al hombre a la bestialidad. Estudió apasionadamente este revés sin precedentes, que, aunque sorprendente en sus excesos, no dejaba de ser un testimonio de lógica implacable". No obstante, saludó la expulsión de los judíos de España como "un acto de buen gobierno" de Isabel la Católica, porque permitió la creación de un Estado con unidad cultural y política.

Los principales temas del pensamiento político

La noción de conflicto

Según Maquiavelo, fue el conflicto entre los nobles y el pueblo lo que permitió instaurar la libertad romana impulsando la creación de leyes e instituciones adecuadas. Para él, el conflicto es inherente a toda sociedad, porque la oposición entre los grandes y el pueblo es estructural. En el capítulo IX de El *Príncipe*, Maquiavelo señala:

"Pero, volviendo al otro caso, en el que un ciudadano particular, no por villanía o violencia intolerable, sino por el favor de sus conciudadanos, se convierte en príncipe de su país [...], digo que esta autoridad suprema se alcanza o por el favor del pueblo o por el de los nobles. Porque en el cuerpo de toda ciudad encontramos estos dos humores: esto proviene del hecho de que el pueblo desea no ser mandado ni oprimido por los grandes, y de que los grandes desean mandar y oprimir al pueblo. Estos dos apetitos diferentes dan lugar en las ciudades a uno de estos tres efectos: principado, libertad o licencia.

Del mismo modo, para Claude Lefort, "una de las principales contribuciones de Maquiavelo reside en su reconocimiento de la fecundidad potencial del antagonismo social". En esto, sigue una aproximación a Maquiavelo que en parte siguió Maurice Merleau-Ponty en su libro de 1947 *Humanisme et terreur,* una aproximación que les permitió romper con una tesis central de la ortodoxia marxista, a saber, que "el conflicto político puede superarse definitivamente".

Para Maquiavelo, el conflicto tiene el mérito de sacudir a los seres humanos de la complacencia que, según él, conduce a la corrupción y la indolencia y obstaculiza la consecución de grandes proyectos. El problema no es el conflicto en sí, sino cómo se gestiona. En Roma, los conflictos políticos internos se resolvieron durante mucho tiempo mediante disputas retóricas (*disputando*), mientras que en Florencia se resolvieron mediante el combate armado (*combattendo*). Mientras que de la discusión pueden surgir nuevas leyes, nada de eso puede surgir de los conflictos dirigidos a la dominación de un bando sobre el otro. Este planteamiento llevó a un autor como Pierre Manent a calificar la teoría de Maquiavelo de *democrática* y a señalar :

"La violencia y la crueldad que existen en el mundo no nacen de la maldad de cada individuo, sino de la pluralidad de existencias separadas. Es manteniendo la mirada fija en este centro como podemos comprender por qué y hasta qué punto puede decirse que la teoría maquiavélica es *democrática* [...] La política maquiavélica es, por tanto, democrática en el primer sentido de que extrae las consecuencias de la astucia objetiva de la fuerza. Es democrática en un segundo sentido. Contrariamente a la tradición aristocrática, que ve la causa del malestar interno en la codicia del pueblo, Maquiavelo la encuentra más bien en la codicia de los Grandes".

Pero la elocuencia no basta para mantener unido a un pueblo, por lo que a veces es necesario recurrir a la violencia o al menos a la fuerza, como afirma implícitamente Maquiavelo en la famosa frase de El Príncipe: "[...] todos los profetas armados han triunfado, [...] desarmados se han derrumbado" (*El Príncipe*, VI). Maquiavelo era muy consciente de este límite de la elocuencia cuando, en El *arte de la guerra*, acusó a los príncipes italianos de haber confiado demasiado en las palabras y poco en la fuerza armada. Sin embargo, no recomendaba el uso de la violencia a menos que la necesidad, es decir, la supervivencia del Estado, lo exigiera.

El tema de la necesidad

Según Marina Marietti, la noción de necesidad es "una de las palabras clave de la obra". Para Maquiavelo, es la necesidad, las circunstancias externas al hombre, las que determinan la acción. Para entender al florentino, hay que recordar, como señala esta investigadora, que Italia era entonces escenario de enfrentamientos entre potencias extranjeras que, en cierto modo, obligaban a las ciudades-estado a adaptarse a las circunstancias cambiantes. Sea como fuere, la introducción de la necesidad en la política supuso un profundo cambio. Lo importante ya no era la prudencia, sino adaptarse a las circunstancias demostrando un espíritu innovador. También supuso una ruptura con el pensamiento de Tomás de Aquino, que creía que las decisiones de un estadista debían estar dictadas únicamente por su libre albedrío y la búsqueda de la justicia. Con la introducción de la necesidad, lo importante era hacer frente a los acontecimientos cambiantes (la noción de fortuna), y lo que contaba ya no era la virtud, sino la virtù, que exigía lucidez, valentía y firmeza en la toma de decisiones. Según Maquiavelo, esto era algo de lo que carecía Maximiliano de Austria.

Para Maquiavelo, la necesidad está ligada al bien. En la antropología maquiavélica, el hombre está sujeto a un hastío del bien (*lo stuccarsi del bene*) causado por una de las principales fuentes de corrupción para este pensador: la ociosidad, "la pereza orgullosa" (*Discurso* I, prólogo). Para Maquiavelo, "los hombres nunca hacen el bien si no es por necesidad", de ahí la conocida frase del florentino: "hacer de la necesidad virtud".

Tucídides y Maquiavelo, los dos fundadores de la tradición realista, conceden un lugar de honor a la noción de necesidad, que deriva no sólo de los acontecimientos externos, sino también de la necesidad inducida por una naturaleza humana considerada estable. Sin embargo, mientras que para el historiador griego existe "una tensión inextinguible entre la necesidad inmoral y las posibilidades éticas de la política", un elemento moral o humano que trasciende la necesidad, para Maquiavelo "la necesidad externa y el realismo que impone permiten salvar a la comunidad".

La noción de tiempo

Para Maquiavelo, el tiempo es lineal, y el fracaso significa "la inmersión sin retorno en el abismo del no-ser político": es necesario, pues, adaptarse al presente. Para durar, una república puede construir una arquitectura institucional diseñada para resistir la corrupción del tiempo. Maquiavelo escribió: "Nada, por el contrario, hará firme y segura a una república como encauzar, por así decirlo, mediante leyes los ánimos que la agitan". (*Discurso* 3, VII).

Para el florentino, los cambios introducidos por el tiempo pueden conducir a un retorno a las condiciones originales y provocar una renovación, como ocurrió en la religión católica gracias a Francisco de Asís y Domingo de Guzmán, y como ocurrió, según él, en la monarquía francesa de su época. Hablando de religión, señala

"Pero esta renovación no es menos necesaria para las religiones, y la nuestra misma da prueba de ello. Se habría perdido por completo si no hubiera sido reconducida a su principio por San Francisco y Santo Domingo [...] Las nuevas órdenes que establecieron fueron tan poderosas que impidieron que la religión se perdiera por el libertinaje de los obispos y dirigentes de la Iglesia".

- Maquiavelo, *Discursos*, 3, I1

Corrupción política y religión

Para Maquiavelo, la corrupción política deriva del hecho de que los seres humanos no están dispuestos a anteponer el bien común de la ciudad a los intereses particulares o de una categoría social (comunidad, clase social, etc.). Según Viroli, "la corrupción es también una ausencia de *virtù*, una especie de pereza, una falta de aptitud para la actividad política o una carencia de la fuerza moral y física necesaria para resistir a la tiranía e impedir que los hombres ambiciosos y arrogantes impongan su dominio a la sociedad".

La corrupción política se produce cuando ya no se obedecen las leyes, cuando ha desaparecido el temor de Dios, cuando, al vivir bajo el dominio de un príncipe durante mucho tiempo, la gente ha adquirido hábitos serviles y ya no es capaz de deliberar por sí misma, cuando las diferencias de riqueza se exageran, cuando el poder se vuelve absoluto.

Muy crítico con la corrupción de la Iglesia de su tiempo, creía que cualquier vínculo entre religión y política conducía inevitablemente a la corrupción de ambas. Además, una Iglesia no corrompida, aunque más respetable, sería aún más perjudicial para la esfera pública, debido a los propios preceptos de la religión cristiana. Así, contrapone esta última a la religión romana:

"Nuestra religión sitúa la felicidad suprema en la humildad, la abyección y el desprecio de las causas humanas; la otra, por el contrario, la sitúa en la grandeza del alma, la fuerza del cuerpo y en todas las cualidades que hacen a los hombres formidables (*Discurso* II, 2)".

Para Maquiavelo, la corrupción destruye la libertad política y coloca a las personas en un estado de servidumbre. Salir de tal estado es difícil, porque requiere una fuerza, una *virtù*, que no es común pero que trae la verdadera gloria. Esa redención debe lograrse estableciendo una nueva ley, un nuevo gobierno por ley. Desde esta perspectiva, el uso de la fuerza se convierte en legítimo cuando es el único camino. Para este admirador de la República romana descrita en los *Diez libros* de Tito Livio, esta restauración de la virtud requiere un régimen republicano.

¿Qué cualidades y conocimientos?

Cosme de Médicis construyó el poder de su familia distribuyendo favores para crear una red de partidarios que le dieran el control de las instituciones de Florencia. Él y sus sucesores gobernaron haciendo uso de su influencia sin presentarse, sin cambiar la constitución y sin reclamar nunca el título de Príncipe. Sin embargo, cuando la restauración del poder de los Médicis en Florencia en 1512 supuso el fin de la República, los nuevos gobernantes temieron a los partidarios de la República. A partir de entonces, los Medici tenían dos opciones: utilizar la fuerza, postura apoyada por Paolo Vettori, o establecer un régimen similar al de Cosimo, postura recomendada por Giuliano de' Medici. Maquiavelo creía que los nuevos gobernantes sobrestimaban el poder de los republicanos. De hecho, en su opinión, olvidaban que el pueblo se preocupaba ante todo de sus intereses inmediatos y querían tratar primero con los gobernantes actuales, fueran quienes fueran. Por otra parte, aconsejaba a los Médicis que desconfiaran de los nobles, siempre dispuestos a cambiar de bando si sus intereses y ambiciones les llevaban a ello. Además, Maquiavelo creía que los Medici ya no podían contentarse con liderar desde la barrera, como habían hecho en tiempos de Cosme, porque nada les aseguraba que la gente a la que pretendían influir les siguiera. También les aconsejó que abandonaran la política de favores, porque "las amistades que se obtienen por dinero y no por grandeza y nobleza de corazón, se pueden comprar, pero no se pueden poseer y, llegado el momento, no se pueden gastar". Por tanto, Maquiavelo les aconsejó que utilizaran el miedo en su lugar. También les aconsejó que convirtieran a sus súbditos en leales partidarios alistándolos en un ejército de la ciudad.

En el plano de la reflexión que precede a la acción, Maquiavelo recomienda al político que se mantenga al corriente de la situación, que interprete cuidadosamente los hechos y que no dude en comparar su análisis con el de otros expertos políticos. Para el florentino, el arte de la interpretación es difícil, porque los príncipes ocultan su juego dramatizando sus acciones o sus palabras. Por tanto, el experto político o el estadista deben juzgar y decidir basándose en las acciones (las manos de Maquiavelo) más que en las palabras (sus ojos):

Interpretar los hechos también es difícil, porque intervienen las pasiones, por lo que el arte de la política siempre implica cierto grado de azar y depende de la capacidad de superar los vientos en contra.

La virtud y el dominio de la buena y la mala fortuna

La traducción de la palabra *virtù,* utilizada a menudo por Maquiavelo, ha sido problemática durante mucho tiempo. A partir de los años setenta, Claude Lefort (1972) y Jean-François Duvernoy (1974) empezaron a utilizarla con más frecuencia. En 1981, Quentin Skinner decidió aceptar esta elección, señalando: "Sigo considerando imposible encontrar, en inglés contemporáneo, un término o un conjunto de perífrasis susceptibles de constituir una traducción satisfactoria del concepto de *virtù* (del latín *virtus*), concepto central en la obra de Maquiavelo. Por esta razón he conservado este término o las expresiones que lo contienen en su forma original a lo largo de todo el libro". En Francia, para evitar las connotaciones asociadas a la palabra francesa "vertu", que tenía más o menos el mismo significado en aquella época, la mayoría de los especialistas han optado en los últimos cincuenta años por conservar el término de Maquiavelo.

La palabra procede del latín *vir*, que "caracteriza a un hombre en el sentido más noble del término". Según el diccionario Gaffiot, *vir se* refiere a un hombre de carácter, un hombre que desempeña un papel en la ciudad. Un político con *virtù* debe ser capaz de adaptarse a las situaciones y pasar del bien al mal en función de las circunstancias impuestas por *la fortuna*. *Virtù* es un concepto importante porque es la cualidad que deben poseer o desarrollar los políticos dignos de tal nombre, es decir, capaces de salvaguardar el Estado y conseguir grandes cosas. De hecho, según Duvernoy, "lejos de poder hacer de *la virtù* un rasgo psicológico, hay que decir por el contrario que la relación entre psicología y *virtù* es de lucha".

Para Helmuth Plessner (contemporáneo de Heidegger), la política puede definirse de forma muy maquiavélica como "el arte del momento favorable, de la ocasión propicia", lo que los antiguos griegos llamaban *kairós*. Esta búsqueda del momento propicio explica también por qué Maquiavelo asocia a menudo *fortuna* con *virtù*. Luciani la define como "habilidad, destreza, actividad, poder individual, sensibilidad, olfato para la oportunidad y medida de las propias capacidades". Para John Greville Agard Pocock, *virtù* también tiene el doble significado de "instrumentos de poder, como las armas, y las cualidades personales necesarias para manejar estos instrumentos". En el capítulo veinticinco de El *Príncipe,* Maquiavelo subraya la fuerza indiscriminada de *la fortuna*: "La comparo a un río impetuoso que, cuando se desborda, inunda las llanuras, derriba árboles y edificios, quita tierra de un lado y la lleva a otro: todo huye ante sus estragos, todo cede a su furia; nada puede interponerse en su camino" (*El Príncipe*, cap. XXV). En términos generales, *la fortuna* es fuente de miseria, aflicción y desastre. Para hacer frente a la *fortuna,* se necesita la "virtud organizada" (*ordinata virtù*), la capacidad de canalizarla. Para superar o resistir a la *fortuna, hay* que adaptarse rápidamente a las nuevas situaciones, lo que requiere más impetuosidad y *virtù* que sabiduría. Maquiavelo comparó *a la Fortuna* con una mujer que "ama a los hombres jóvenes porque son menos reservados, más violentos y más audaces a la hora de mandarla". Según Pocock, la razón por la que las nociones de *fortuna* y *virtù* son tan importantes en la obra de Maquiavelo es que *El Príncipe se* ocupa principalmente de los innovadores políticos, no de los príncipes que heredaron largas dinastías y gozaron de una "legitimidad tradicional". Mientras que estos últimos pueden apoyarse en la tradición y las estructuras existentes, el innovador debe confiar más en la *fortuna* y la *virtù* para "imponer la forma de la *politiea* -la constitución- [...] Es función de la *virtù* imponer una forma a la *fortuna*". Hablando de los grandes legisladores que fundaron grandes pueblos o grandes ciudades, escribe:

Leo Strauss señala que en Maquiavelo *la virtud se opone* a veces a la bondad, oposición que retomaría con Cicerón. Cicerón, siguiendo el ejemplo de la *República* de Platón, contrapone la templanza y la justicia, que se exigen a todos, al valor y la sabiduría, que sólo se exigen a los dirigentes. Maquiavelo distingue una relación similar entre *virtud* y bondad. La primera es necesaria para los dirigentes, la segunda, entendida un tanto peyorativamente en el sentido de obediencia mezclada con miedo, es característica de la gran masa de la población que no se dedica ni a la política ni a la milicia.

La gloria como principio de inmortalidad y moderación

Maquiavelo, como los humanistas y Cicerón, creía que la gloria no requería la santificación divina. Al igual que los antiguos romanos y griegos anteriores al cristianismo, creía que la búsqueda de honores humanos, es decir, de este mundo (entendido como diferente del otro mundo, el de lo divino), era un gran bien, sobre todo porque los hombres y las mujeres aspiraban a seguir el ejemplo de príncipes gloriosos y respetados. Para el florentino, la gloria de este mundo, a pesar de la inconstancia y arbitrariedad de los hombres, puede tener algo de inmortal cuando es verdadera, cuando es a lo que deben aspirar los estadistas. Para Maquiavelo, lo que tienen en común la gloria y la infamia es que aportan una especie de inmortalidad a sus poseedores, en el sentido de que permanecen siempre vivos en la memoria de la humanidad. Los caminos que conducen a la gloria y a la infamia están igualmente próximos. Para el pensador, el estadista puede recurrir a la crueldad y a la astucia, pero si quiere alcanzar la gloria, sólo puede utilizar estos medios para el bien de los seres humanos y limitar su uso a lo estrictamente necesario. Si se entrega a medios extremos sin freno, entonces, como Agatocles de Siracusa, se hunde en la infamia.

Aunque en el capítulo XVIII de El *Príncipe*, Maquiavelo sugiere "un uso metódico y económico de la violencia" y recuerda que los héroes guerreros de la Antigüedad habían sido instruidos por el centauro Quirón, y que los hombres tienen por tanto una doble naturaleza, de hombre y de bestia, lo cierto es que si un hombre no quiere caer en la tiranía y si quiere alcanzar la gloria, debe ser prudente y ahorrativo en el uso de los medios. Maquiavelo señala: "[...] con este maestro mitad hombre, mitad bestia, querían decir que un príncipe debe tener en cierto modo estas dos naturalezas, y que una necesita apoyarse en la otra. El príncipe, por tanto, al tener que actuar como una bestia, intentará ser a la vez zorro y león: porque si sólo es león, no verá las trampas; si sólo es zorro, no se defenderá de los lobos; y también necesita ser zorro para ver las trampas, y león para espantar a los lobos. Los que se limitan a ser leones son muy poco hábiles" (Cap. XVIII).

Maquiavelo estableció una distinción entre "*fama*" y "*gloria*". Según Maquiavelo, para adquirir fama es necesario realizar grandes cosas, como hizo el rey Fernando el Católico, pero esto no basta para la gloria. La gloria requiere esplendor tanto en los objetivos perseguidos como en los medios empleados, algo de lo que este soberano no dio muestras suficientes.

NICCOLÒ MACHIAVELLI

Maquiavelo y el republicanismo

El republicanismo de Maquiavelo en su contexto

Italia en la Edad Media y el Renacimiento tuvo una historia única, ya que no era ni un reino como Francia o España, ni un imperio como Alemania (el Imperio de los Habsburgo). Estaba dividida en numerosas ciudades y estados comerciales, incluidos los influyentes Estados Pontificios. Además, existía un conflicto latente entre la burguesía mercantil y la nobleza guerrera. Existían dos grandes alianzas: la de los güelfos, formada generalmente por las ciudades comerciales y el papado, y la de los gibelinos, que favorecía a la casa de Hohenstaufen y, más tarde, a los españoles y al imperio de los Habsburgo. Según Pocock, todos los escritores florentinos, Maquiavelo incluido, eran güelfos. Cuando el Papado abandonó Aviñón y regresó a Roma en 1377, quiso expandir sus estados y se convirtió así en una amenaza para la autonomía de las ciudades-estado. Para superar los conflictos entre facciones, las ciudades-estado recurrieron a podestados que no pertenecían a la ciudad. El liderazgo de estas ciudades-estado solía enfrentar a republicanos y príncipes. Para Hans Baron, la conceptualización de la noción de república en Florencia comenzó con la crisis de 1400-1402 entre los humanistas florentinos y los Visconti de Milán. La idea republicana se inspiró en Aristóteles, en particular en su libro sobre la política. En aquella época, la libertad era republicana en esencia, ya que se consideraba que residía en la participación activa en el gobierno. Maurizio Viroli destaca la interpretación de Aristóteles que hace Gilles de Roma, según la cual vivir políticamente significa vivir bajo la protección de la ley y bajo una buena constitución. Quentin Skinner, por su parte, sostiene que la idea republicana nació en el siglo XIII y que su fuente no fueron los autores griegos, sino los latinos, principalmente Cicerón y Salustio. Este recurso a autores latinos, atormentados por la caída de Roma, llevó a los republicanos a reflexionar sobre las nociones de decadencia y caída. La caída de Roma, en particular, se analizó como el resultado de un exceso de conquista que destruyó la *virtù de* los romanos de la república. Según Maquiavelo, son posibles dos tipos de república: una república en expansión basada en el modelo romano, que requiere *virtud* y virtudes paganas, y una república defensiva y desarmada, impulsada por las virtudes cristianas. Evidentemente, el florentino se inclinaba por el primer tipo de república, ya que vivió antes de las guerras de religión europeas, en las que los cristianos fueron especialmente activos y muy poco pacíficos. En materia de religión, Maquiavelo se enfrentaba, por tanto, a cuestiones diferentes de las de Jean Bodin y Thomas Hobbes.

El republicanismo maquiavélico

Por regla general, los estudiosos de Maquiavelo están de acuerdo en que el republicanismo de Maquiavelo es de un tipo especial. Para Friedrich Meinecke, incorpora un elemento de monarquismo porque sólo puede nacer de la acción de unos pocos grandes hombres. Harvey Mansfield y Nathan Tarcov lo consideran una mezcla de republicanismo y tiranía. Según John Greville Agard Pocock, la república de Maquiavelo es una estructura de *virtud* enraizada en la virtud de los ciudadanos soldados. Para Mark Hulluing, Maquiavelo defendía el republicanismo sólo porque pensaba que era más adecuado para la gloria, la expansión del Estado y la violencia que la monarquía. Para Hans Baron, el republicanismo de Maquiavelo es un republicanismo principesco enraizado en la virtud cívica.

Según Maurizio Viroli, el republicanismo de Maquiavelo hunde sus raíces en la búsqueda de una república bien ordenada, una república regida por el *imperio de la ley* y por disposiciones constitucionales. Maquiavelo tomó esta idea de los juristas y humanistas cívicos de los siglos XIII y XIV, para quienes la vida civil y política sólo podía concebirse bajo un gobierno republicano o bajo un gobierno mixto que combinara las virtudes de la monarquía, la aristocracia y la democracia. Alamanno Rinuccini, siguiendo los pasos de Cicerón, sostuvo en 1493 que el fundamento de una vida verdaderamente humana, es decir, a la vez política y civil, residía en la justicia y las buenas leyes.

Según Viroli, el republicanismo de Maquiavelo es un gobierno de derecho, lo que significa que todos, incluidos los gobernantes y el Príncipe, están sujetos a la ley y a las limitaciones institucionales. Es también un sistema político mixto en el que cada componente de la ciudad tiene su lugar. Con ello se pretendía seguir el ejemplo de la República romana y evitar los interminables conflictos que se vivían en Florencia. También era un sistema que garantizaba la libertad política, es decir, la participación de todos en los debates públicos y la posibilidad de que todos, en virtud de sus méritos, ocuparan altos cargos. La libertad política de la ciudad se entiende en el sentido desarrollado por los juristas y filósofos políticos italianos del siglo XIV, es decir, como la libertad de la ciudad para elaborar sus propias leyes sin remitirse a un emperador. Para evitar el retorno de la corrupción, es decir, el incumplimiento de la ley, los magistrados debían aplicarla con inflexibilidad, sobre todo cuando se trataba de personas poderosas.

Las ventajas del republicanismo según Maquiavelo

En primer lugar, Maquiavelo veía el régimen republicano como una forma de vivir a la vez libre y seguro. Para vivir con seguridad (vivere *sicuro*) se requiere un orden constitucional mínimo, como el que él creía que existía en Francia en aquella época. En cambio, vivir en libertad (*vivere libero*) requiere la participación activa en el gobierno de la nobleza y el pueblo, y la emulación entre ambos, como ocurría en la República romana. Un régimen en el que lo más importante es vivir con seguridad desconfía del pueblo y se niega a armarlo, prefiriendo utilizar mercenarios para defenderse. Un régimen así hace que el pueblo sea pasivo y débil. Para Maquiavelo, cuando los ciudadanos llevan armas, cuando la defensa de la ciudad recae en ellos, entonces podemos estar seguros de que nadie (ni el gobierno ni el usurpador) tiranizará al pueblo. Para apoyar esta afirmación, utiliza los ejemplos de Roma y Esparta: "Así, Roma fue libre durante cuatro siglos y estuvo armada, Esparta durante ocho siglos; muchas otras ciudades estuvieron desarmadas y fueron libres durante menos de cuarenta años". A menudo se argumenta que la República romana fue escenario de conflictos entre la nobleza y el pueblo, y que ésta fue la causa de su caída. Maquiavelo rebate este planteamiento: para él, la tensión entre el pueblo y la nobleza era creativa, la fuente misma de la grandeza romana. Escribe en los *Discursos* (I, 4):

"Sostengo a los que condenan las querellas del Senado y del pueblo que están condenando lo que era el principio de la libertad, y que les llama mucho más la atención los gritos y el ruido que causaron en la plaza pública que los buenos efectos que produjeron.

¿*La virtù* es exclusiva de un individuo o está extendida por toda la sociedad? Para Maquiavelo, la *virtù* está ampliamente distribuida entre los ciudadanos. Este es un argumento de peso a favor del régimen republicano. En efecto, la diversidad de seres humanos que poseen o pueden adquirir *virtù* facilita la superación de los acontecimientos, gracias a la rica reserva de individuos capaces de hacer frente a situaciones de crisis. Por ejemplo, cuando Roma tuvo que hacer frente a los cartagineses de Aníbal Barca y, tras las primeras victorias cartaginesas, fue necesario contemporizar mientras las legiones se preparaban para la nueva situación, Quinto Fabio Máximo Verrucosus, conocido como *Cunctator* (el Temporizador), fue el hombre indicado. En cambio, cuando llegó el momento de pasar a la ofensiva, fue Escipión el Africano quien tenía las cualidades adecuadas (*virtù).* Maquiavelo escribió

"Todo el mundo conoce la prudencia y circunspección con que Fabio Máximo dirigió su ejército, muy lejos de la impetuosidad y audacia a que estaban acostumbrados los romanos; y tuvo la suerte de que esta conducta estuviera en consonancia con los tiempos [...] Si Fabio hubiera sido rey de Roma, podría haber sido derrotado en esta guerra, porque no habría sabido variar la forma de librarla de acuerdo con la diversidad de los tiempos, pero había nacido en una república en la que había diferentes clases de ciudadanos y diferentes caracteres: Así, de la misma manera que Roma tuvo a Fabio, un hombre que no podía ser más adecuado para los tiempos en que era necesario limitarse a sostener la guerra, así también tuvo a Escipión para los tiempos en que era necesario triunfar. "

- Maquiavelo, *Discursos* (3, IX).

Debate democrático, bien común y república

Según Nederman, el *Discurso* de Maquiavelo considera que el debate democrático es el mejor método para resolver los conflictos en una república. Como en la retórica clásica, y al igual que los teóricos retóricos italianos de la Baja Edad Media, el arte del discurso pretende convencer a la gente de los méritos de una tesis y revelar las debilidades de la tesis contraria. Según Viroli (1998), el énfasis de Maquiavelo en el conflicto como requisito para la libertad es esencialmente retórico. En general, para el florentino, el pueblo es el mejor garante de la libertad y del bien público. La diversidad de sus puntos de vista les hacía menos vulnerables al engaño. En cambio, en los regímenes monárquicos, quienes desean "engañar" no se enfrentan a tal diversidad de opiniones y, por tanto, pueden imponer sus puntos de vista con mayor facilidad. En los *Discursos,* Maquiavelo muestra una gran confianza en la capacidad del pueblo para actuar y juzgar, y dedica un capítulo a este tema:

"En cuanto a la prudencia y la constancia, sostengo que un pueblo es más prudente, más constante y mejor juez que un príncipe. No sin razón se dice que la voz del pueblo es también la voz de Dios. La opinión pública pronostica los acontecimientos de un modo tan maravilloso que parece como si el pueblo estuviera dotado de una forma oculta de prever tanto el bien como el mal. Cuando oyen a dos oradores de igual elocuencia proponer dos soluciones opuestas, es muy raro que no disciernan y adopten la mejor.

- Discurso (I, 58).

Claude Lefort ve en Maquiavelo la aparición de una nueva tesis para justificar el sistema democrático: "Así se enuncia esta tesis enteramente nueva: hay en el desorden mismo los medios para producir el orden; los apetitos de clase no son necesariamente malos, ya que de su choque puede nacer una ciudad". Christian Nadeau coincide con esta postura, demostrando que Maquiavelo no ofrece "un discurso sobre la primacía de los medios sobre los fines, sino una auténtica reflexión sobre las condiciones de posibilidad de la libertad política".

Según Maurizio Viroli, Maquiavelo defiende que, para resolver los conflictos de forma no destructiva y por el bien común, los ciudadanos deben estar impulsados por una fuerza moral que les haga capaces de percibir dónde está el bien común y les haga querer alcanzarlo, a veces en detrimento de sus propios intereses: esta fuerza moral es el amor a la patria. Viroli se refiere en particular al capítulo "Un buen ciudadano debe, por amor a su patria, olvidar sus injurias particulares" de los *Discursos* (III, 47), en el que describe un caso ocurrido durante una guerra, cuando el Senado tuvo que nombrar a un jefe militar para sustituir a otro que había sido herido. El general elegido como sucesor era el enemigo jurado de Fabio, que tuvo que aprobar el nombramiento. Maquiavelo escribió que el Senado "se hizo rogar, pues, por dos diputados, que sacrificara sus odios personales al interés público... El amor a la patria prevalecía en el corazón de Fabio, aunque su silencio y otras muchas pruebas demostraban cuánto le costaba hacer este nombramiento".

Los retos de una lectura republicana renovada de Maquiavelo

La lectura republicana de Maquiavelo experimentó un importante renacimiento con la publicación de *Momento maquiavélico. La pensée politique florentine et la tradition républicaine*, de John Greville Agard Pocock, uno de cuyos objetivos era mostrar que, junto al pensamiento de John

Locke, también se abría la vía del republicanismo florentino. Para este autor, la oposición entre liberalismo y republicanismo no es sólo cosa del pasado, sino que sigue vigente. Pocock insiste en la ciudadanía entendida como participación activa en la vida política y militar, que se opone a la libertad moderna del liberalismo contemporáneo. Con ello, pretende "exponer los defectos de un pensamiento exclusivamente jurídico y liberal". Sin embargo, Pocock se centra principalmente en la participación de los ciudadanos en la vida política, olvidando abordar la cuestión del orden institucional y jurídico de Maquiavelo, tema tratado por Maurizio Viroli en 1998. En 2004, Vickle B. Sullivan, en su libro *Machiavelli, Hobbes and the Formation of a liberal Republicanism in England*, insistió en el hecho de que en la Inglaterra del siglo XVII se produjo una reconciliación entre el republicanismo maquiaveliano y el liberalismo lockeano.

La influencia de Maquiavelo

La obra de Maquiavelo ha sido "conocida, estudiada y discutida como pocas en la historia": "El escándalo que provoca la imagen del príncipe, gobernando a su antojo, indiferente a los preceptos cristianos, ocupado en utilizar a sus súbditos para su propia gloria o placer, tiene resonancias no estrictamente religiosas. Su fuerza reside en que pone en tela de juicio una representación tradicional de la sociedad". *El Príncipe,* que circuló por primera vez en forma manuscrita, fue dedicado a un cardenal y fue bien recibido por el Papa, que autorizó su impresión en 1531. La obra se difundió rápidamente gracias al desarrollo de la imprenta. Entre 1572 y 1640 se publicaron quince ediciones del *Príncipe* y diecinueve del *Discurso,* así como veinticinco traducciones al francés.

No fue hasta veinte años después de su publicación cuando comenzaron los primeros ataques, a cargo del cardenal inglés Reginald Pole, quien, en su *Apologie à l'empereur Charles-Quint* (1552), la consideraba una obra "escrita por la mano de Satanás". *El Príncipe* también fue atacado por el obispo portugués Jeronymo Osorio y el obispo italiano Ambrogio Catarino en su *De libris a christiano detestandis* (1552). Estos ataques llevaron al Papa Pablo IV a poner el *Príncipe*, los *Discursos* y las *Historias Florentinas en el Índice* en 1559, una medida que detuvo la publicación en las zonas de influencia católica con la excepción de Francia.

Las ideas de Maquiavelo tuvieron un profundo impacto en los líderes occidentales. *El Príncipe* pronto fue tenido en gran estima por Thomas Cromwell. Antes que él, el libro influyó en Enrique VIII tanto en sus tácticas, por ejemplo durante la Peregrinación de Gracia, como en su decisión de pasarse al protestantismo. El emperador Carlos V también poseía un ejemplar del libro. Según Bireley, en el siglo XVI los católicos asociaban a Maquiavelo con los protestantes y éstos lo consideraban italiano y, por tanto, católico. De hecho, influyó tanto en reyes católicos como protestantes. La influencia de Maquiavelo se deja sentir en la mayoría de los principales pensadores políticos de la época. Francis Bacon escribió: "Estamos muy en deuda con Maquiavelo y otros escritores semejantes que anuncian y describen abiertamente y sin tapujos lo que el hombre hace, no lo que debería hacer".

Maquiavelo también estuvo muy presente en la cultura literaria de la época, siendo mencionado más de cuatrocientas veces en el teatro isabelino (Marlowe, Shakespeare, Ben Jonson, etc.). En Francia, Jean de La Fontaine incluyó una adaptación del cuento de

Maquiavelo *Belphégor archidiable* en su última colección de fábulas bajo el título de *Belphégor* (1682); también adaptó su obra teatral *La Mandragore en* forma de cuento en verso con el mismo título.

San Bartolomé, el nacimiento del maquiavelismo y del tacitismo en el siglo XVI

En Francia, tras una acogida inicialmente tibia, el nombre de Maquiavelo se asoció a Catalina de Médicis y a la masacre del día de San Bartolomé.

En 1576, cuatro años después de este oscuro episodio de las Guerras de Religión, el hugonote Innocent Gentillet publicó en Ginebra una extensa obra titulada *Discours sur les moyens de bien gouverner, a* menudo llamada *Discours contre Machiavelli* o *Anti Machiavelli*, que se distribuyó ampliamente por toda Europa. En la primera carta, dirigida a François de France, duque de Alençon, Gentillet invita al lector a "devolver [la doctrina de Maquiavelo] a Italia, de donde vino, para nuestra gran desgracia y daño", porque fue la causa de la matanza de San Bartolomé: "nuestros maquiavelistas de Francia, que fueron los autores y empresarios de las matanzas de San Bartolomé". Se describe a Maquiavelo como ateo y se dice que su libro *El Príncipe* es el *Corán de los corredores de bolsa*. Este libro contribuye a que perduren los malentendidos sobre la obra de Maquiavelo. Es como si la revelación pública del funcionamiento del poder hiciera al florentino responsable de su corrupción y de los medios utilizados para mantenerlo. Al revelar estos mecanismos y recomendar su uso cuando la situación lo exige y cuando la debilidad de carácter de los gobernantes tendría peores consecuencias, Maquiavelo muestra una salida a la situación, sin eliminar nunca de su razonamiento su desconfianza en la naturaleza humana. El maquiavelismo plantea la cuestión del vínculo entre la moral y la política, un punto subrayado por Inocencio Gentillet .

Sea como fuere, esta acusación de estrategias inmorales se oía a menudo en el discurso político del siglo XVI, sobre todo entre los partidarios de la Contrarreforma, como Giovanni Botero, Juste Lipse, Carlo Scribani, Adam Contzen, Pedro de Ribadeneira y Diego de Saavedra Fajardo.

Jean Bodin, que apreciaba la obra de Maquiavelo en su *Méthode pour une compréhension aisée de l'histoire (Método para una fácil comprensión de la Historia)*, publicado en 1566, fue mordaz en el prefacio de su gran obra *Les Six Livres de la République (Los seis libros de la República)*, publicada unos meses después del libro de Gentillet:

"Maquiavelo, que tenía la moda entre los corredores de tiranos, nunca sondeó el vado de la Ciencia Política, que no se encuentra en las artimañas tiránicas, que buscó en todos los rincones de Italia, y como dulce veneno vertió en su libro del Príncipe. [...] Y en cuanto a la justicia, si Maquiavelo hubiera puesto sus ojos en los buenos autores, habría encontrado que Platón tituló sus libros de la República, los libros de la Justicia, como uno de los pilares más firmes de todas las repúblicas".

La hostilidad de Bodin provenía del hecho de que estaba ocupado desarrollando una "teoría de la monarquía real, en la que la soberanía del rey es absoluta, pero se ejerce respetando las leyes y las costumbres y por el bien de los gobernados".

Muchos de estos autores, a pesar de sus críticas, retomaron muchas de las ideas de Maquiavelo. Aceptaban la necesidad de que un príncipe se preocupara por su reputación y recurriera a la astucia y el engaño, pero, al igual que los modernistas posteriores, hacían más hincapié en el crecimiento económico que en los riesgos asociados a las guerras arriesgadas.

Para evitar las polémicas asociadas a Maquiavelo, algunos críticos prefieren hablar de "tacitismo", llamado así por Tácito, el historiador romano que escribió la historia de los emperadores romanos desde Tiberio hasta Nerón. El tacitismo -de hecho, el pensamiento de Maquiavelo despojado de su aspecto más cuestionable- se utiliza para enseñar a los consejeros de príncipes o reyes a servir a los monarcas absolutos y aconsejarles políticas realistas. El tacitismo se divide en dos tendencias: el "tacitismo negro", partidario de la ley del príncipe, y el "tacitismo rojo", partidario de la República, y puede clasificarse en continuidad con los *Discursos sobre la primera década de la vida de* Maquiavelo.

Maquiavelo el republicano (siglos XVII-XVIII)

En 1597, el nombramiento de Alberico Gentili, abogado formado en Perusa, como profesor de derecho civil en Oxford contribuyó a consolidar la reputación de Maquiavelo como autor republicano. De hecho, en su *De legationibus* de 1585, Gentili se ocupó elocuentemente del Maquiavelo de los *Discursos*. En la Inglaterra y Holanda del siglo XVII, y en la Francia del XVIII, Maquiavelo fue presentado a menudo como defensor de la República de Venecia y del republicanismo en general, en parte bajo la influencia de Gentili, interpretación retomada por Boccalini.

Durante la Commonwealth inglesa y el protectorado de Oliver Cromwell, los *Discursos de Maquiavelo sirvieron de* fuente de inspiración a los republicanos, como en *The Case of the Commonwealth of England* de Marchamont Needham en 1650 y *Oceana de* James Harrington en 1656. Los republicanos en el sentido de *Commonwealth de la época*, John Milton, Algernon Sydney y Henry Neville, adaptaron las nociones maquiavélicas de virtud cívica, participación y efecto saludable del conflicto al caso inglés. Henry Neville, que editó las obras de

Maquiavelo en 1675 y 1680, en una carta ficticia de Nicolaus Machiavelli a Zanobius Buondelmontius, se dirige a los conversos en el Jardín de los Rucellais, es decir, a los republicanos. Según la imaginería republicana, fue en este jardín donde habrían tenido lugar las discusiones relatadas en el *Discurso sobre la primera década de Tito Vivo*, para señalarles que *El Príncipe* es ante todo una sátira de los tiranos destinada a mostrar su verdadero carácter. Aunque no siempre se le menciona como fuente de inspiración debido a las controversias en torno a su nombre, Maquiavelo también dejó su impronta en el pensamiento de otros grandes filósofos ingleses, como Hobbes y Locke.

En Holanda, Johan y Pieter de la Court utilizaron los *Discursos* para defender la idea de que en una república se tienen más en cuenta los intereses de todos porque se establece una especie de equilibrio de intereses. Sus escritos influyeron en Spinoza, quien, en su *Tractatus theologicopoliticus* (1670), defendió una visión realista de la política basada en el capítulo 15 de El *Príncipe* y propuso una interpretación democrática de Maquiavelo, presentándolo también como republicano.

En la Francia de principios del siglo XVII, desde una perspectiva no republicana, Maquiavelo era apreciado por el cardenal Richelieu, "que no fue el último en seguir los preceptos más maquiavélicos del *Príncipe*". Se dice que el cardenal animó a Louis Machon a escribir un libro favorable a Maquiavelo: *L'Apologie de Machiavel*, que nunca se publicó y permaneció en forma de manuscrito. Montesquieu calificó a Maquiavelo de "gran hombre", pero creía que Maquiavelo había hecho de César Borgia "su ídolo". En *De l'esprit des lois* (1748), adopta un punto de vista pragmático: "Hemos empezado a curarnos del maquiavelismo, y nos curaremos de él cada día. Necesitamos más moderación en nuestros consejos: lo que antes se llamaban golpes de Estado hoy, independientemente de su horror, sólo serían imprudencias". Atribuyendo un papel central a las pasiones y a los intereses en los asuntos humanos, estableció una distinción entre virtud moral y virtud política (*virtù*).

En Prusia, donde el republicanismo de Maquiavelo era poco apreciado, el joven rey Federico II de Prusia se propuso refutar *El Príncipe* y pidió ayuda a Voltaire. El resultado fue *Anti-Machiavel, ou Essai de critique sur le Prince de Machiavelli,* publicado por Voltaire en 1740. La página está dividida en dos columnas, con el texto del *Príncipe en la* traducción de La Houssaye en cursiva a la izquierda y los comentarios del Rey, revisados y ampliados por Voltaire, en paralelo. En el capítulo VIII, Voltaire corrige a Maquiavelo en el plano histórico, recordando el triste destino de ciertos tiranos ("un villano castiga a otro"). En conjunto, sin embargo, según Artaud de Montor, "el libro de Voltaire es más una declamación perpetua que una refutación formal". El prólogo marca la pauta:

"El Príncipe de Maquiavelo es a la moral lo que la obra de Spinoza es a la fe. Spinoza socavó los fundamentos de la fe, y no menos empeño puso en derribar el edificio de la religión; Maquiavelo corrompió la política, y se propuso destruir los preceptos de la sana moral. Los errores de uno eran meramente especulativos; los del otro, prácticos.

Comentando esta obra, Rousseau se muestra muy crítico con el rey de Prusia: "No puedo estimar ni amar a un hombre sin principios, que pisotea todos los derechos humanos, que no cree en la virtud, sino que la considera un señuelo con el que se divierte a los tontos, y que comenzó su maquiavelismo refutando a Maquiavelo". Por otra parte, "admira profundamente el genio de Maquiavelo, reconoce la fuerza de su pensamiento, su perspicacia sobre los hombres, la certeza de su juicio sobre los acontecimientos". Rousseau justifica así su lectura de un Maquiavelo republicano:

"Maquiavelo era un hombre honesto y un buen ciudadano, pero vinculado a la Casa de Médicis, se vio obligado, en la opresión de su patria, a disimular su amor por la libertad. Sólo la elección de su execrable héroe revela suficientemente su secreta intención, y el

contraste entre las máximas de su libro El *Príncipe* y las de
sus *Discursos sobre Tito Livio* y su *Historia de Florencia*
demuestra que este profundo político sólo ha tenido
hasta ahora lectores superficiales o corruptos".

Es la misma interpretación que se encuentra en el artículo
de Diderot sobre el maquiavelismo y en la obra de Alfieri.
Sin embargo, para los especialistas contemporáneos
resulta inverosímil suponer un doble sentido y una
intención satírica tras los pasajes más repugnantes del
Príncipe.

Sea como fuere, Maquiavelo inspiró sin duda a
Robespierre, para quien "los planes de la Revolución
Francesa estaban escritos en gran parte en los libros... de
Maquiavelo". Del mismo modo, cuando Robespierre
justifica el Terror - "el despotismo de la libertad contra la
tiranía"- a veces parece repetir palabra por palabra el
famoso pasaje en el que Maquiavelo defiende la
necesidad de la violencia para fundar un nuevo orden
político o reformar los corruptos. Ambos creían que el
problema central de la acción política es establecer una
base capaz de instaurar la esfera pública y que, para ello,
la violencia podía estar justificada. Para Hannah Arendt,
Maquiavelo es, por tanto, "el antepasado de las
revoluciones modernas": como todos los verdaderos
revolucionarios, nada deseaba con más pasión que
establecer un nuevo orden de cosas.

Influencia en los Padres Fundadores de la República Americana

El énfasis de Maquiavelo en el republicanismo nos lleva a considerarlo una fuente importante, tanto directa como indirecta, del pensamiento político de los Padres Fundadores de Estados Unidos. Fue el pensamiento republicano de Maquiavelo el que animó a Benjamin Franklin, James Madison y Thomas Jefferson cuando se opusieron a Alexander Hamilton, temiendo que pretendiera formar una nueva aristocracia a través del Partido Federalista. Hamilton aprendió de Maquiavelo la importante influencia de la política exterior en la política interior. Sin embargo, mientras que Maquiavelo enfatizaba la idea del conflicto de ideas dentro de una república, Hamilton hacía hincapié en la noción de orden. De los padres fundadores, sólo George Washington escapó a la influencia de Maquiavelo.

Entre los padres fundadores, John Adams fue quien más estudió y apreció a Maquiavelo, comentándolo ampliamente en su obra *A Defence of the Constitutions of Government of the United States of America*. En esta obra, sitúa a Maquiavelo junto a Algernon Sydney y Montesquieu entre los defensores del gobierno mixto. Para Adams, Maquiavelo tuvo también el mérito de restablecer el dominio de la razón empírica en política. Adams también está de acuerdo con el florentino en que la naturaleza humana es inmóvil y se deja llevar por las pasiones, y coincide con Maquiavelo en que todas las sociedades están sujetas a periodos cíclicos de crecimiento y decadencia. Para Adams, sin embargo, Maquiavelo tenía un defecto: carecía de una comprensión clara de las instituciones necesarias para un buen gobierno.

La influencia de Maquiavelo en el siglo XIX

A principios del siglo XIX, la interpretación de Maquiavelo estuvo marcada por la de la Revolución Francesa y dominada por la cuestión del vínculo entre moral y política. Al asociar la Revolución Francesa con Maquiavelo, el Primer Ministro británico William Pitt el Joven acusó a los revolucionarios de maquiavelismo e inmoralidad. Esto llevó a Kant a señalar que la *Declaración de los Derechos del Hombre y del Ciudadano* y la Constitución Republicana no tenían nada de inmoral, lo que demostraba que no podía haber verdadera política sin un tributo a la moral. Hegel, en su Filosofía del Derecho (1821), comparte la misma opinión.

En el siglo XIX, en un momento en que se debatía la reunificación de Italia y Alemania, la idea de la formación de un Estado y el patriotismo que subyacía en el pensamiento de Maquiavelo dejaron huella en algunos de sus lectores más conocidos. Por ejemplo, en su *Constitución germánica,* escrita en 1800 y publicada en

1893, Hegel sugiere un paralelismo entre la Italia desunida de Maquiavelo y la Alemania de su tiempo. En la Alemania del siglo XIX, los autores preferían por lo general hacer hincapié en el patriotismo de Maquiavelo y evitar temas más delicados. Así procedió Max Weber en su *Política como vocación* (1919). Este sociólogo y filósofo alemán también tuvo cuidado de no asociar el pensamiento de Maquiavelo sobre el Estado con el de Heinrich von Treitschke, que reducía el Estado a pura fuerza, violencia y poder. Weber cita a Maquiavelo sólo unas pocas veces y señala que la violencia de la *Arthashâstra de* Kautilya relativiza la supuesta violencia del Príncipe.

Marx hace "breves referencias a Maquiavelo [que] son todas elogiosas". Había leído los *Discursos*, pero fueron las *Historias Florentinas* y su estudio de la evolución del sistema militar italiano lo que más le llamó la atención. Según él, este libro permitía comprender "la conexión entre las fuerzas productivas y las relaciones sociales". En 1897, Benedetto Croce opinaba que Karl Marx era un digno sucesor de Maquiavelo y se sorprendía de que nunca se le hubiera llamado "el Maquiavelo del movimiento obrero".

Friedrich Nietzsche, escribiendo en 1888 y publicado en 1901 bajo el título *La voluntad de poder*, señaló: "Ningún filósofo alcanzará jamás el tipo de perfección que es el maquiavelismo. Porque el maquiavelismo puro, sin mezcla, crudo, fresco, con toda su fuerza, con toda su mordacidad, es sobrehumano, divino, trascendental; no puede ser alcanzado por un hombre, sólo abordado".

El primer estudio en profundidad sobre Maquiavelo y su obra es el de Alexis-François Artaud de Montor: *Machiavelli. Son génie et ses erreurs* (1833).

Maurice Joly publicó su *Dialogue aux enfers entre Machiavelli et Montesquieu* en 1865.

Culpar a Maquiavelo del estallido de dos guerras mundiales

La tesis de la responsabilidad de Maquiavelo en las dos grandes guerras mundiales fue expuesta por el historiador alemán Friedrich Meinecke en *La idea de la razón de Estado en la historia de los tiempos modernos* (1924) y *Die deutsche Katastrophe* (1946). La primera de estas obras pone en tela de juicio no sólo el maquiavelismo y el hegelianismo sino, más en general, las ideas abstractas de la Revolución Francesa. Según este autor, el punto de partida de todos estos males se encuentra en Maquiavelo, que permitió el desencadenamiento de la política del poder. En el segundo libro, según Barthas, Meinecke retoma la misma tesis y la adapta, argumentando que al revelar métodos reservados a una aristocracia, Maquiavelo condujo a un maquiavelismo de masas que hizo posible el Tercer Reich. Los libros de Meinecke influyeron en la forma en que Michel Foucault interpretó a Marx en su obra sobre el concepto de "gubernamentalidad" en 1978.

Debate sobre la responsabilidad de Maquiavelo en el surgimiento del totalitarismo

En los años veinte y treinta se planteó la cuestión del vínculo entre el totalitarismo y el pensamiento de Maquiavelo, sobre todo porque Benito Mussolini había publicado en 1924 un *Preludio al Maquiavelo,* traducido al francés en 1927, en el que el Duce elogiaba a Maquiavelo. Si bien este texto fue rápidamente contestado en Italia por el filósofo liberal Piero Gobetti, que destacaba el republicanismo de Maquiavelo y "su defensa de la fecundidad del conflicto", en Francia tuvo una acogida más bien favorable. En el periodo de entreguerras, *Le Machiavélisme avant, pendant et après Machiavel,* de Charles Benoist, es una de las principales obras sobre Maquiavelo, y "se refiere elogiosamente al texto de Mussolini". A pesar de ello, el libro tiene el mérito de distinguir "cuatro tipos de maquiavelismo: el de Maquiavelo, el de algunos de sus discípulos (*los maquiavelianos*), el de los *antimaquiavelianos* y, por último, el de las personas que nunca lo han leído". Fue una de las fuentes de las reflexiones de Raymond Aron y Jacques Maritain sobre el maquiavelismo. La obra de

Benoist está marcada por la idea de que el maquiavelismo es fruto de un momento de la historia y por la recuperación de los temas nietzscheanos. La lectura de Maquiavelo en el periodo de entreguerras estuvo marcada por el problema de las élites, y Aron subrayó las afinidades entre el pensamiento de Maquiavelo sobre este tema y el del sociólogo Vilfredo Pareto.

Mirando exclusivamente a la historia del pensamiento, el neotomista Jacques Maritain sostiene que "los regímenes totalitarios son los herederos de Maquiavelo". En su opinión, la gran falta de Maquiavelo fue haber liberado a los hombres y mujeres de Estado de su culpa al "llevar a la esfera de la conciencia las costumbres de su época y la práctica común de los políticos del poder de todos los tiempos". Aron y Élie Halévy, a diferencia de Maritain, incluyen en su análisis del totalitarismo los cambios provocados por la instauración de la economía de guerra durante la Primera Guerra Mundial. Sea como fuere, en una reflexión iniciada a finales de los años treinta, Aron veía la esencia del totalitarismo "en la conjunción de maquiavelismo y mesianismo, de cinismo y fanatismo, en la perversión conjunta de ciencia y religión". En un análisis bastante similar, Ernst Cassirer, en su libro *El mito del Estado* (1946), asocia a Maquiavelo, como Meinecke, con el nazismo.

Un Maquiavelo republicano

Fue sobre todo en las universidades de lengua inglesa donde se desarrolló una alternativa al enfoque propuesto por Leo Strauss. Hans Baron, Isaiah Berlin y John Greville Agard Pocock propusieron una interpretación que reintrodujo el pensamiento del florentino en los debates políticos contemporáneos. En su ensayo de 1971 *La originalidad de Maquiavelo*, Isaiah Berlin, tratando de resolver el conflicto entre moral y política característico del pensamiento de Maquiavelo según Benedetto Croce, encuentra en el florentino un pluralismo de valores que concuerda bien con su liberalismo político. Por la misma época, Philip Pettit, John Greville Agard Pocock y Quentin Skinner revivieron el enredo republicano de Maquiavelo. Al hacerlo, seguían los pasos de Rousseau, quien escribió: "Al pretender dar lecciones a los reyes, dio grandes lecciones al pueblo". *El Príncipe* es el libro de los republicanos". La lectura republicana de Maquiavelo nos lleva a valorar más el *Discurso* que *El Príncipe*. John Greville Agard Pocock contrapone una tradición republicana derivada de Maquiavelo a la tradición liberal. Al hacerlo, según Barthas, adopta un análisis de corte marxiano en el que lo social y lo económico influyen en la percepción de lo social y los valores en boga. John Rawls, el gran exponente del liberalismo político de finales del siglo XX, ignora a Maquiavelo, al igual que Jürgen Habermas, otro gran filósofo político contemporáneo.

En 2010, con cierta ironía, John Greville Agard Pocock se preguntaba si el único príncipe maquiavélico de la historia europea era Napoleón Bonaparte, "condottiere y legislador, héroe de una república y traidor cesarista". La idea no es nueva: en 1816, una obra anónima sugería que un manuscrito encuadernado que contenía traducciones de varias obras de Maquiavelo, entre ellas una nueva traducción del *Príncipe* y otra de los *Discursos*, con notas marginales de puño y letra del emperador, había sido encontrado en el carruaje de Napoleón tras la batalla de Waterloo. La historia es pura invención, aunque sea cierto que Napoleón pensaba llevarse los *Discursos* en su biblioteca de viaje.

Maquiavelo y el espacio democrático del poder

En *Le Travail de l'œuvre Machiavelli* (1972), Claude Lefort enumera ocho grandes interpretaciones de Maquiavelo, entre las que destaca las de Cassirer y, sobre todo, la de Leo Strauss: el análisis de este último es "de todos los que hemos examinado, el único que vincula la cuestión del sentido del discurso maquiavélico a la de su lectura". En este libro, propone también una lectura sistemática de las dos obras principales del florentino: *El Príncipe* y los *Discursos*. Sitúa en el centro del pensamiento de Maquiavelo las nociones de conflicto y división social, así como la economía del deseo. Según este análisis, "la obra de Maquiavelo provoca un escándalo [...] al afirmar el

vínculo morganático entre el mal y la política":
"Maquiavelismo es el nombre del mal. Es el nombre que
se da a la política en la medida en que es malvada".

Con Maquiavelo, la política adquiere un estatuto
completamente nuevo, liberada de los criterios morales
del bien y del mal, y centrada únicamente en el éxito del
Príncipe para obtener o conservar el poder. Y el ejercicio
del poder "obedece a una lógica casi autónoma".
Partidario de una política de expansión, Maquiavelo
recomendaba seguir el camino de Roma, ciudad abierta -
en lugar del de Esparta, replegada sobre sí misma- y
afrontar la difícil tarea de mantener el equilibrio entre
fuerzas opuestas:

"Creo que es necesario imitar la constitución romana y no
la de las otras repúblicas, porque no creo que sea posible
elegir un término medio entre estos dos modos de
gobierno, y que hay que tolerar las enemistades que
puedan surgir entre el pueblo y el senado,
considerándolas como un mal necesario para alcanzar la
grandeza romana".

- Maquiavelo, *Discurso*, I, 6.

En un ensayo titulado *Maquiavelo en democracia* (2006),
Édouard Balladur, ex Primer Ministro francés, comienza
reconociendo, después de muchos otros, que "el mérito
de Maquiavelo es haber acabado con la hipocresía de los

buenos sentimientos. Fue el primero en describir los métodos del poder: la lucha por el poder es el choque de ambiciones egoístas, nada más". Balladur, que había sido llamado al gobierno por François Mitterrand -apodado "el florentino"-, se propuso a su vez identificar los métodos del poder en la sociedad contemporánea, sea cual sea el régimen político:

"Democracia o dictadura, el fin sigue siendo el mismo: la conquista y la posesión del poder por cualquier medio, durante el mayor tiempo posible. En el uso de la mentira, hay poca diferencia entre una y otra, salvo que la mentira es aún más eficaz en una democracia porque permite captar los votos del mayor número; mientras que en una dictadura basta con imponerse por la fuerza, con dominar más que con convencer."

El libro analiza la relación con los periodistas, la importancia de la imagen, el efecto de los sondeos de opinión, las virtudes y los defectos necesarios -hacer soñar, honradez, indiferencia a la crítica, lucidez, cinismo, etc.-, el apoyo a conservar, la elección entre ser querido o temido. -apoyándose en sus muchos años de experiencia, el autor respalda su exposición con referencias a personalidades políticas, aunque cuidándose "de no mencionar a los príncipes de su tiempo". Ni una palabra sobre el que fuera su amigo durante treinta años, pero su sombra se ve detrás de cada pinchazo". La publicación de una obra semejante, impensable en otro tiempo por parte de un político, parece confirmar que la nueva relación con la política introducida por Maquiavelo es hoy ampliamente compartida.

Obras

Obras históricas y políticas

- *Il Principe* (1513), publicado por primera vez en 1532 en Roma y Florencia.
    - *El Príncipe*, traducción de Jacques Gohory, 1571. Edición original en línea.
    - *El Príncipe*, traducción de J.-V. Périès, Wikisource, 1823.
    - *Le Prince*, seguido de Cartas escogidas, París, Le Livre de poche classique, 1972.
    - *Le Prince,* traducción de Christian Bec, comentario de Marie-Madeleine Fragonard, Bordas, Pocket, Garnier, París, 1998.
    - *Le Prince*, serie "Les Intégrales de Philo", notas y comentario de Patrick Dupouey, prefacio de Étienne Balibar, París, Nathan, 1998.
    - *De Principatibus*, *El Príncipe,* traducción de Jean-Louis Fournel y Jean-Claude Zancarini, texto italiano de G. Inglese, París, PUF, serie "Fondements de la politique", 2000.
    - *Le Prince et autres textes*, Gallimard, serie "Folio", 1986.

- El Príncipe: Il Principe, París, Gallimard, serie "Folio", 1995.
- Le Prince, trad. de V. Périès, epílogo de Joël Gayraud, París, Mille et une nuits, 2003.
- Il Principe / El Príncipe, seguido de De Regnandi peritia / El arte de reinar de Agostino Nifo. Nueva edición crítica del texto por Mario Martelli, introducción y traducción de Paul Larivaille, notas y comentarios de Jean-Jacques Marchand. L'Art de régner: texto latino de Simona Mercuri, introducción, traducción y notas de Paul Larivaille. París, Les Belles Lettres, 2008.

- Discorsi sopra la prima deca di Tito Livio (1513-1520). Publicado por primera vez en 1531 en Roma y Florencia.
  - Discurso sobre la primera década de Tito Livio (Wikisource).
  - Discours sur la première décade de Tite-Live, trad. de T. Guiraudet, notas de A. Pélissier, prefacio de Claude Lefort, Flammarion, serie "Champs", 1985.
  - Discours sur la première décade de Tite-Live, traducido del italiano por Alessandro

Fontana y Xavier Tabet, Gallimard, serie "Bibliothèque de philosophie", 2004.

- *Dell'arte della guerra* (1513-1521). Publicado por primera vez en 1521.
  - *L'Art de la guerre*, París, Flammarion, serie "GF", 1991.
- *Historias florentinas*. Publicado por primera vez en 1532.

Cartas e informes oficiales

- *Discorso sopra le cose di Pisa* (1499).
- *Del modo di trattare i popoli della Valdichiana ribellati* (1503).
- *Del modo tenuto dal duca Valentino nell ammazzare Vitellozzo Vitelli, Oliverotto da Fermo, etc.* (1503).
- *Discorso sopra la provisione del danaro* (1502).
- *Informe sobre asuntos en Alemania* (1508).
- *Informe sobre asuntos en Alemania y sobre el Emperador* (1509).
- *Cuadro de las cosas de Francia* (1510-1511).
- *Frammenti storici* (1525).

Obras poéticas y teatrales

- *Los Decenios* (1506-1509).
- *L'Andrienne,* comedia traducida de Terencio (¿1513?).

- *La Mandragora* (1518) (texto en Wikisource). Comentario: "La Mandrágora por sí sola vale quizá más que todas las obras de Aristófanes".
  - *Mandragola* / *La Mandragore*, texto crítico de Pasquale Stoppelli, introducción, traducción y notas de Paul Larivaille [1], seguido de un ensayo de Nuccio Ordine, París, Les Belles Lettres, 2008.
- *Clizia*, comedia en prosa (¿1515?).
  - *La Clizia*, traducción y notas de Fanélie Viallon, París, éditions Chemins de traverse, 2013.
- *El asno de oro* (1517).
- *Canciones de carnaval*.

Prosas diversas

- *Discurso moral instando a la penitencia.*
- *Reglas para una sociedad alegre.*
- *Belfagor arcidiavolo* (1515) Una *historia muy agradable sobre el archidiácono Belphegor, que tomó una esposa.*
  - *Histoire du diable qui prit femme*, trad. y epílogo de Joël Gayraud, París, Mille et une nuits, 1995.
- *Discurso sobre nuestra lengua* (1524).
- *Sommario delle cose della città di Lucca* (1520).

- *Discorso sopra il riformare lo stato di Firenze* (1520).
- *La vida de Castruccio Castracani da Lucca* (1520).
- *Lettres à Francesco Vettori*, traducción de Jean-Vincent Périès, prefacio y notas de Joël Gayraud, París, Rivages, 2013.
- *Toutes les lettres de Machiavelli: presentación y notas de Edmond Barincou* (pref. Jean Giono), París, Gallimard, 1955.

Colecciones de obras completas en francés

- *Maquiavelo. Œuvres complètes*, Gallimard, Bibliothèque de la pléiade, 1952 (presentación en línea).
- *Œuvres*, París, Robert Laffont, serie "Bouquins", 1999.

Aug. Bronzino pinxit. Georg. Dillis del. 1791. Joseph. Morghen sculp. 1795.

En las artes y la cultura popular

Literatura

- Maquiavelo es el héroe de la novela de William Somerset Maugham *Entonces y ahora* (1946).
- Maquiavelo es uno de los principales protagonistas de la novela ucrónica de Paul J. McAuley *Los conjuradores de Florencia* (1994).
- El personaje de Maquiavelo aparece en la serie de libros de Michael Scott *Los secretos del inmortal Nicolas Flamel*.
- *Le Prince* ha sido adaptado al manga por Soleil Manga.

Renovado interés por las comedias de Maquiavelo

El siglo XX ha visto renacer el interés por la comedia de Maquiavelo.

- *La Mandragola* (1518), que se representó en el Festival Shakespeare de Nueva York en 1976 y por la *Riverside Shakespeare Company* en 1979. Del mismo modo, Peer Raben creó un musical basado en su tema, que se representó en el Antitheatre de Múnich en 1971 y en el National Theatre de Londres en 1984. También se representó en París en 1981 en el Théâtre de l'Est Parisien, en una adaptación francesa de Valeria Tasca.

Cine

- *Monna Vanna* dirigida por Richard Eichberg, estrenada en 1922, con Toni Zimmerer en el papel de Maquiavelo.
- *Lucrèce Borgia*, dirigida por Abel Gance, estrenada en 1935, con Aimé Clariond en el papel de Maquiavelo.
- *La Mandragore*, dirigida por Alberto Lattuada, estrenada en 1965, adaptación de la comedia homónima de Maquiavelo.
- *Le Confort et l'Indifférence*, de Denys Arcand, estrenada en 1981, protagonizada por Jean-Pierre Ronfard en el papel de Maquiavelo.

Televisión

- *La Mandragola* (1961) dirigida por Lothar Bellag, adaptación de la comedia homónima de Maquiavelo.
- *La Mandragola* (1962) dirigida por Jovan Konjovic, adaptación de la comedia homónima de Maquiavelo.
- *La Mandragola* (1974) dirigida por Horst Thürling y Heinz Wilhelm Schwarz, adaptación de la comedia homónima de Maquiavelo.

- *La Mandragola* (1978) dirigida por Roberto Guicciardini, adaptación de la comedia homónima de Maquiavelo.
- *La Mandragola* (1984) dirigida por Alexander Wikarski, adaptación de la comedia homónima de Maquiavelo.
- *Da Vinci's Demons* (2011) dirigida por David S. Goyer y protagonizada por Eros Vlahos como Maquiavelo.
- *Borgia* (2011) de Tom Fontana con Thibaut Evrard como Maquiavelo.
- *Los Borgia* (2011), de Neil Jordan, con Julian Bleach en el papel de Maquiavelo.
- En Érase una *vez en el Bronx,* dirigida por Robert de Niro, Sonny, hablando con Calogero, se refiere a Maquiavelo y le atribuye la idea de "disponibilidad".
- Maquiavelo aparece en la segunda parte de la serie *Médicis: les magnifiques*.

Otros libros de United Library

https://campsite.bio/unitedlibrary

9 789464 902693